KB178112

이룸교회 이야기: 나의 하나님

박선주 신지영 이유림 이아로 신유미 진종운 김대한 문정희

기획/편집 정재운

이룸교회 이야기: 나의 하나님

발 행 | 2024년 1월 11일
저 자 | 박선주 신지영 이유림 이아로 신유미 진종운 김대한 문정희
기획/편집 | 정재운
펴낸이 | 한건희
펴낸곳 | 주식회사 부크크
출판사등록 | 2014.07.15.(제2014-16호)
주 소 | 서울특별시 금천구 가산디지털1로 119 SK트윈타워 A동 305호
전 화 | 1670-8316
이메일 | info@bookk.co.kr

ISBN | 979-11-410-6597-3

www.bookk.co.kr

이룸교회 이야기: 나의 하나님

박선주 신지영 이유림 이아로 신유미 진종운 김대한 문정희

기획/편집 정재운

BOOKK

서문

안녕하세요. 이야기 프로젝트 대표 정재운 전도사입니다.

평생의 여정이기도 한 신앙의 여정을 위해, 우리는 각자만의 '길갈의 열두 돌'이 필요한 것 같습니다. 하나님께서 나의 삶에 어떤 역사를 일으켜주셨는지, 인생 가운데 하나님께서는 자신을 어떤 분으로 나타내셨는지에 대해 작성한 '신앙에세이'가 우리에게 길갈의 열두 돌이 되어, 우리의 신앙에 힘을 실어줄 수 있을 것 같습니다.

하나님의 인도하심 가운데, 이룸교회 다함청년부를 만나 '나의 하나님'에 대한 신앙에세이 작업을 하게 되었습니다. 이 시간을 통해 저자와 독자 모두가 하나님께 한 걸음 더 나아가고, 앞으로의 인생의 여정을 하나님 안에서 아름답게 걸어 나가는 은혜가 있었으면 좋겠습니다.

소중한 시간을 내어주신 독자 여러분들께, 부디 제 소중한 인연들의 글이 멋진 선물이 되기를 바라며 기도하겠습니다.

2024년 1월,

기획/편집 정재운

차례 _

서문 5

첫 번째 작가, 박선주 11

이룸교회에서 다시 만난 하나님 12
반성으로 사랑을 깨닫게 하신 하나님 16

두 번째 작가, 지영 21

해석 22
잘 걸어가고 있어 28

세 번째 작가, 이유림 35

공동체가 필요할까요? 36
흔들리는 믿음에도 불구하고 44

네 번째 작가, 이아로 49

이룸교회를 알기 전 50
이룸교회를 알게 되었다. 54

다섯 번째 작가, 신유미 59

나의 꿈, 나의 나라 60
그러나 하나님의 꿈, 그분의 나라 62

여섯 번째 작가, 진종운 71

좁은 길 72
청년의 때 80

일곱 번째 작가, 김대한 87

초행 88
불빛처럼 예쁜 마음, 우리들 92

여덟 번째 작가, 문정희 97

드린 삶 98
선물 104

첫 번째 작가, 박선주

Instagram: @write_dayy

내가 겪은 일들이 그저 여기서 끝나는 것이 아니라, 다른 누군가에게 힘이 되었으면 좋겠습니다.

제 인생은 꼭 드라마 한 부작, 영화 한 편 같습니다. 참 많은 일을 겪었고, 참 많은 어려움을 극복해냈습니다. 이러한 순간들이 누군가에게는 이겨낼 수 있는 힘, 원동력이 되길 바라며 글로 남기고 있습니다. 이루고 싶은 게 많아서 끊임없는 노력을 하는 중인데 언젠가는 '누군가'가 이 땅의 청소년들이 되길 원합니다. 제 인생의 목표 중 하나는 청소년들이 행복한 세상을 만드는 것이기 때문이죠. 그들이 행복한 세상을 찾을 수 있을 때까지 글을 쓰고, 나누고 싶습니다.

이룸교회에서 다시 만난 하나님

'학생 시절의 박선주'를 떠올린다면 교회에서의 추억이 가장 많을 정도로 열심히 다녔었다. 중학교 1학년부터 고등학교 3학년 상반기까지 매주 금요철야도 가고, 청소년부 기도회도 참석하고, 여러 팀에서 사역으로 섬기기도 했다. 그러다 보니 금요일부터 주일까지는 교회에서 살다시피 하는 게 나의 일상이었다. 고등학교 3학년 후반기부터 20살 후반기까지 스리랑카로 1년 동안 해외봉사를 갔던 상황에서도 주말에 수도인 콜롬보를 가게 되면 한인교회로 출석했었다. 이 정도로 열심히 다니던 내가 21살이 되어 대학교에 진학하면서 동기, 선배들과 술 마시는 게 좋아지니 주일에 일찍 일어나는 게 힘들어졌고, 청소년부 때 굉장히 활성화되었던 또래모임이 아쉬운 결과를 낸 건지 한국으로 돌아왔을 땐 또래 친구들이 다 교회를 떠나고 없었다. 그러면서 나는 자연스럽게 교회를 떠나고 하나님에게서 멀어졌다.

그렇게 7년이 넘는 시간을 떠나 있다가 5년 동안 함께 살았을 정도로 가까운 친구를 통해서 이룸교회로 오게 되었다. 회복은 되었지만 작년 하반기에 인간관계에서 상처를 받은 이후로 어느 정도 벽을 두고 살았던지라 주일예배부터 참석하는 건 부담스러워서 먼저 금요예배를 따라갔다. 그때의 느낌을 떠올리자면 딱 한 단어로 표현할 수 있다. 편안함. 그저 편안함 그 자체였다. 7년만에 교회를 온 건데 어색하지 않고 이렇게 편안할 수 있다니, 참 신기했다.

여기서 나의 TMI를 살짝 얘기하자면 어릴 때부터 사람에게 많은 상처를 받으며 살아왔다. 9살에 부모님이 이혼하시고, 중학교 3년 내내 전교 왕따를 당했으며, 18살에는 보고 싶은 어머니를 찾기 위해 주민센터를 갔다가 입양아라는 사실을 알게 되기도 했다. 보고 싶었던 어머니도 키워 주신 아버지도 나의 친부모님이 아니었던 것이다. 키워 주신 아버지가 넘치는 사랑을 주셨음에도 불구하고 어릴 때부터 쌓여 온 상처는 사람에 대한 결핍으로 가득해지게 만들어서 사람들한테 사랑을 참 많이 갈구해 왔다.

이러한 이야기를 한 이유는 이룸교회를 통해 하나님께 다시 돌아오면서 이런 상처를 다시 한번 마주하게 되는 일이 있었다. 금요예배에서 연약한 삼갈을 하나님께서 사용하셨다는 설교를 들은 적이 있다. 사실 설교를 들을 때만 해도 나는 연약한 사람이 아니라고 생각했다. 왜냐하면 회사에서 인정을 받으며 주어진 일을 잘해내고 있고, 비수기가 있긴 하나 그게 아닌 이상 또래 친구들에 비해서 돈도 잘 벌고 있기에 잘 살아가고 있으니까. 하지만 하나님은 '연약함을 알게 해 달라'는 나의 기도에 '아, 내가 일을 잘하고 있다고 해서 연약하지 않은 게 아니구나. 나는 이런 상처들을 가지고 있고, 온전히 극복한 게 아니라 마주하는 나 자신이 힘들어서, 무너질 게 무서워서 극복했다고 생각하고 무시하고 있었구나.' 하는 걸 깨닫게 하셨다.

그 연약함을 인정하며 기도하니 또 문득 강의해 온 학생들이 생각났다. 강의를 하다 보면 나의 뜻대로 따라와 주지 않을 때 혼을 내기도 했는데 '아, 내가 그 아이들의 행동을 보고 화가 났던 게 아니라 사실은 마음이 아팠던 거구나. 그렇게 행동하는 건 그들의 잘못이 아니라 어른들의 잘못이고, 그거를 잘못됐다 말해 주는 어른이 없어서 그걸 모른다는 게 마음이 아팠던 거구나.' 하는 생각이 들면서 눈물이 쏟아졌다. 나는 그날 시점으로 언제 울었는지 생각이 나지 않을 정도로 울어 본 적이 없었는데 말이다. 원래는 울기도 많이 울고 힘들면 힘들다고 감정을 잘 표현하던 성향이었는데, 주기적으로 상담을 받는 상담사님이 '선주 씨를 보면 정말 아팠을 상처도 그 아픔의 크기가 크면 클수록 더 담담하게 얘기하려고 해요. 그래서 아슬아슬하게 느껴져요.'라고 얘기를 할 정도로 울고 싶어도 참았던 시기였다. 울면 내가 나약한 것 같아서, 나 자신한테 지는 것 같아서. 근데 그런 나를 하나님께서는 '청소년 세대가 부흥하는 데에 저를 써 주셨으면 좋겠어요.'라고 눈물로 기도하게 만드셨다. 사실 나는 학생 때 하나님과 함께했기 때문에 말도 안 되는 상황들을 이겨내고 버틸 수 있었다라는 것을 그 누구보다 너무 잘 알고 있다. 그래서 이 땅의 청소년들이 가정에서 부모님 혹은 형제에게, 학교에서 친구 혹은 선생님에게 받은 상처가 하나님의 품 안에서 회복되었으면 좋겠고, 그렇게 될 수 있도록 진로강의를 하는 나의 말에 복음이 더해지길 원한다고, 하나님의 사랑을 흘려 보낼 수 있게 해 달라고 기도로 나아가려고 한다.

반성으로 사랑을 깨닫게 하신 하나님

앞서 언급한 상황들이 있었음에도 해결되지 않는 기도 제목이 하나 있었다. 예배 때마다 분명 깨달음은 있는데 믿음까지는 연결되지 않는다는 거였다. 그러던 와중에 모처럼 온전히 집에서 혼자 쉴 수 있는 토요일이 찾아왔는데, 하루 종일 혼자 있다 보니 '사랑받고 싶다. 행복해지고 싶다.'라는 생각이 들었다. 그래서 그 다음날인 주일 아침에 '오늘 설교에서 하나님이 저를 사랑하고 계신다는 것을 깨닫게 해 주시면 믿을게요.'라고 거의 반협박처럼 생각했다. 물론 교회에서 이 나눔을 한 후에 목사님을 비롯한 청년부 사람들이 사람이 아닌 하나님 안에서 사랑을 찾으려고 한다는 것을 하나님은 기뻐하실 거라고 얘기해 주셨지만!

하여튼, 그런 생각을 한 후에 주일예배에 출석을 했는데 설교를 듣는 중에 또 울어버렸다. 앞서 말했다시피 울고 싶은 것을 어떻게든 참아내던 시기라 운 적이 딱 두 번 있었는데 그 두 번이 바로 금요예배 때 기도하면서 울고, 이번 설교를 들으면서 울었던 것이다. 400년 동안 하나님의 사랑을 외면하고, 다시 돌아오는 것을 반복했던 이스라엘 백성들에 대한 얘기였는데 나는 어릴 때부터 사랑을 여러 번 외면당했고 버림받는 게 어떤 건지 잘 알면서도 무려 7년 동안 하나님을 외면했던 것이었다. 청소년 시절을 하나님 덕분에 버틸 수 있었다는 걸 너무 잘 알면서, 그때는 힘들다며 하나님께 의지해서 하나님의 사랑을 잔뜩 받아놓고 그걸 7년 동안 외면했으면서 주일 아침에 그런 생각을 했던 게 너무 죄송한 마음이 들었다. 염치없었던 이스라엘 백성들의 그 모습이 곧 나였던 것이다. 아마 반성하게 만들지 않고 그저 하나님이 나를 사랑하고 있다는 메시지만 주셨다면 나는 그 사랑을 깨닫지 못했을 거다. 근데 하나님은 나를 너무나도 잘 알고 계셨기에 반성을 통해 깨닫게 만드신 것이다.

또 깨닫게 만드신 게 있는데 바로 하나님을 향한 나의 사랑이다. 내가 교회를 다시 다니게 된 이상 예배 자리를 지키는 건 나 자신과 한 약속 중 일부라고 생각해서 꼭 지키고 싶어 하는 건 줄 알았다. 그래서 전라남도로 강의를 갔다가도 빠르게 집 들려서 짐만 두고 나와 어떻게든 금요예배에 참석하려고 했다. 그날은 시간이 촉박해서 역대급으로 무거운 캐리어를 끌고 미스트 같은 비를 맞으며 바로 교회로 갔는데 설교를 듣다 보니까 '아, 나도 모르는 사이에 하나님을 사랑하게 되었구나. 이게 나 자신과의 약속을 지키기 위해서가 아니라 하나님을 사랑하게 되어서 내가 이 자리를 온전히 지키고 싶었구나. 그렇다면 나는 이 사랑을 계속해서 잃지 않았으면 좋겠다.' 하는 생각이 들었고, 그렇게 한 시간 반을 기도했다.

이외에도 이룸교회 청년부 안에서 나를 사랑하시는 하나님, 하나님의 계획하심을 조금씩 깨닫게 하는 일들이 몇 번 있었는데 하루는 감기몸살이 찾아와서 퇴근 후 낮잠을 자고 금요예배를 가기 위해 집을 나섰다. 가는 길에 스토리를 올렸는데 교회를 도착하니 한 친구가 교회 오는 것 같아서 핫팩을 챙겨 왔다고 건네줬다. 평소 같았으면 그 친구의 사랑으로 느끼고 감동받았을 텐데 그날은 이상하게 '아, 이런 게 하나님의 사랑인가?' 하는 걸 느꼈다. 이틀 후, 새신자 환영회를 위한 마니또 추첨을 했는데 미션이 '핫팩 전해 주기'여서 신기했던 기억이 떠오른다.

또 하나는 다른 친구와 얘기를 나누면서 얻은 깨달음이다. 대화를 하면서 많은 것을 깨닫는 편인데, 작년 하반기에 이런저런 일이 겹치면서 2주 동안 식욕이 없어지고 살이 48 kg까지 5 kg가 빠질 정도로 힘든 시기를 보냈었다. 아마 그때 교회를 다시 다니게 됐다면 또 다시 사람이 좋아서 다녔을 거고, 그럼 상처를 받고 떠날 수도 있었을 텐데 이룸교회에 오게 된 시기는 그때의 상처가 괜찮아지고 온전히 하나님을 받아들일 수 있는 심리적인 여유가 생겼을 때였다. 그래서 이것도 어쩌면 하나님의 계획일 수도 있겠다 싶었고 현재는 그 생각이 확신으로 바뀌었다.

이룸교회 다함청년부는 인간관계에서 벽을 두게 된 나에게 2개월이라는 짧은 시간에 하나님의 사랑이 어떤 건지 깨닫게 해 주고, 마음을 열게 만들어 준 따뜻한 공동체다. 덕분에 나는 공동체를 사랑할 수 있는 사람이 되고 싶어졌고, 공동체를 사랑할 수 있는 것조차 축복임을 알게 되었으며, 지금은 많이 서툴겠지만 이 공동체를 위해 기도하고 사랑할 수 있는 사람이 될 수 있도록 계속 기도해 보려고 한다.

두 번째 작가, 지영

Instagram: @jy_ee95

지나치게 소란한 세상을 피해 나만의 작은 굴에 숨어 지냈습니다. 혼자 존재하는 굴 안은 안락했습니다. 그러나 이상하게도, 그 굴에 있는 시간이 길어질수록 속이 텅 비어갔습니다. 장미 한 송이조차 자라게 할 수 없는 마른 땅이 메말라갔습니다. 그제야 알았습니다. 내 것이라 생각했던 굴조차 누군가로부터 받은 정거장이었음을요. 그 때에 나의 속을 드러내어 누군가의 속을 들여 낼 준비를 시작했습니다.

해석

어릴 때 아버지께서 제게 자주 하셨던 속담이 있습니다. '안에서 새는 바가지는 밖에서도 샌다.' 그 말은 곧, 제가 새는 바가지라는 얘기였습니다. 아버지는 제게 어딜 가도 새는 티가 날 거라는 말을 자주 하셨습니다.

그 말은 족쇄처럼 저를 옭아맸습니다. 아니라고 믿고 싶었지만 제게도 보였습니다. 담지 못하고 새어 나가는 것들이요. 제게는 틈이 많았습니다. 알코올중독자였던 아버지로 시작된 무너진 가정의 틈, 집에서 나와 교회에서 사는 대신 사역을 대가 삼으며 무너진 신앙의 틈, 커다랗게 입을 벌린 우울의 입 속에서 갇혀 울던 연약함의 틈, 수많은 균열 사이로 흩어지는 것들을 보았습니다.

시간을 쌓아도 지혜가 새었고, 오랜 신앙생활에도 하나님을 향한 신뢰와 감사가 말랐습니다. 주어지는 사랑을 의심하는 밤으로 외로워하며 사랑을 새어 보냈습니다. 자격 없이 사랑받을 자격을 논했습니다.

제가 새는 바가지라는 사실을 누구에게도 들키고 싶지 않았습니다. 무엇을 채워도 비어버리는 스스로가 창피하여 이를 악물고 새는 티를 내지 않으려 노력했습니다. 어딜 가서 무엇을 해도 잘해내려 노력했습니다. 제 그릇에 맞지 않는 무리한 노력은 제게 조울증이라는 병을 가져다주었지만, 그마저도 흠처럼 보이지 않으려 저를 더 채찍질했습니다.

티가 날 것 같으면 도망쳤습니다. 혹여 누가 들여다보기라도 할까, 마음 가득 가시 넝쿨을 키워놓고 한 손에 창을 든 채 경계했습니다. 하나님 앞에서는 숨길 수 없다는 걸 알면서도 그 앞에서조차 숨기고 싶어 교회를 떠나 세상 것으로 빈틈을 채우려했습니다. 무엇으로라도 어떻게든 메우고 싶었습니다.

그러나 할 수 없었습니다. 세상 것으로는, 혼자서는, 아무것도 메울 수 없었습니다. 담아내지 못하는 삶은 무척 공허했습니다. 시린 눈밭에 맨 몸으로 누워있는 것 같이 아렸습니다. 하나님이 없는 삶은 매일이 생기 없는 회색빛의 겨울이었습니다. 결국 온기를 찾아 돌아간 곳은 교회였습니다.

허망한 곳에서 허무하지 않은 유일한 것은 하나님뿐이었습니다.

이룸교회를 만난 제게 하나님은 마치 기다리신 것처럼 끊임없이 부어주셨습니다. 예배를 통해 회복을, 말씀을 통해 은혜를, 공동체를 통해 사랑을 부어주셨습니다. 처음으로 채워지는 기분이 들었습니다. '이렇게나 많이 부으면 나도 채워질 수 있구나!' 기뻐했습니다.

그러나 어느 순간 돌아봤을 때, 다시 텅 빈 저를 발견했습니다. 여전히 같은 실수를 반복하고, 주어지는 사랑을 의심하며 누군가를 사랑하지 못하는, 지난 상처에 갇혀있는 저를 보았습니다. 잘 담아내고 있다고 생각했던 것들이 또 새어 있었습니다. 아무것도 남지 않은 것처럼 보였습니다.

절망스러웠습니다. 하나님을 뵐 면목이 없었고, 교회에 머물기가 두려웠습니다. 저는 새는 자이니까요. 채우고 채워도 채워지지 않는 저는 주변을 지치게 할 테니까요. 저는 사랑하는 하나님이 제게 실망하실까 두려웠습니다. 겨우 만난 소중한 공동체가 제게 지칠까 겁이 났습니다. 저는 또 도망치고 싶어졌습니다.

그러던 중이었습니다. 반복되는 공허함에 지쳐 무력한 마음으로 기도의 자리에 나간 날이었습니다. 기도를 시작하자마자 염치없이 하나님께 따져 물었습니다. 왜 나를 이런 모양으로 만들었냐고, 틈 없이 견고한 모양일 순 없었냐고,

내 안에 아무것도 남은 것이 없지 않느냐고, 쌓아뒀던 서러움이 터져 나왔습니다. 채워지지 않는 삶이 너무 버거우니 차라리 나를 데려가 당신 곁에서 쉬게 해달라고, 소리 내어 울며 떼를 썼습니다.

그런데 기도를 하면 할수록 마음의 수면 위로 무언가가 하나씩 떠올랐습니다. 두려움과 불안에 가려 가라앉아 있던, 저도 모르는 깊은 곳에 있던 것들이었습니다. 하나님이 물으셨습니다. '내가 너를 채우지 못할 것 같니? 네게 채워진 것이 정말 아무것도 없니?'

문득 제가 예배당에 앉아 기도를 하던 중임을 깨달았습니다. 어렸던 어느 날, 하나님께 당신은 나의 신이 아니며 나는 당신의 자녀가 아니라고 비난했던 제가, 버거운 공허로 삶을 포기하려 했던 제가, 멀쩡히 살아 예배당에 나와 저의 주인이신 하나님께 떼를 쓰고 있었습니다. 담긴 은혜를 잃기 싫어 하나님의 것을 더 달라고 울고 있었고, 사랑을 배우게 해준 소중한 공동체를 잃지 않게 해달라고 구하고 있었습니다.

아무것도 남지 않은 것이 아니었습니다. 이미 채워져 있었습니다. 여전한 틈으로 새어 비어져있던 것이 아니라 하나님이 넓히신 것이었습니다. 그래서 계속 더 많은 것을 채워야 했던 것이었습니다.

이내 불현듯 알았습니다. 저의 모양은 전혀 중요하지 않았습니다. 새는 자라고 부끄러워할 필요가 없었습니다. 하나님은 나의 어떠함으로 일하시는 분이 아닙니다. 제가 새는 그릇이든, 부서진 그릇이든, 심지어는 평평하여 무엇도 담을 수 없는 그릇일지라도, 하나님이라면 무엇이든 담으실 수 있습니다. 하나님의 때에, 하나님의 방식으로요. 비우심도 채우심도 하나님의 뜻이었습니다.

제가 새는 그릇이 아니었다면 채워지는 은혜를 몰랐을 겁니다. 그렇게 살아낸 삶이 감사인지도, 부어지는 사랑이 소중한지도 몰랐을 겁니다. 무뎌졌을 거고, 익숙해졌을 겁니다. 둔감했을 겁니다.

이제야 저는 족쇄처럼 옭아매던 아버지의 단어를 해석했습니다. 아뇨, 하나님이 해석하게 하셨습니다. 저는 새는 그릇이었어야 합니다. 채워지지 않는 시간이 있었어야 합니다. 그랬기에 발견할 수 있었으니까요. 비워진 틈을 붙여 더 큰 그릇을 빚어내신 하나님의 은혜를 볼 수 있었으니까요.

전능의 하나님은 계속 저를 채우실 것입니다. 인간된 연약함으로 또 부서진 틈이 생기고, 그 사이로 새어 보낼지라도, 하나님은 그보다 더 큰 것으로, 더 많은 것으로, 흘러넘칠 때까지 채우실 것입니다.

오직 사랑하기 때문에 그리 하신다는 하나님을 위해, 이제 저는 해석한 이 작은 삶을 증명 삼아 하늘의 것을 흘려보내는 통로로 살고 싶습니다.

잘 걸어가고 있어

불쑥 길을 잃었다는 생각이 들던 스물여덟의 여름이었습니다. 다니던 직장이 잘 맞지 않아 퇴사를 한 뒤, 십 년 가까이 앓고 있는 조울증과 공황에 새삼스러운 막막함을 느끼던 때였습니다.

낮은 자존감과 깊은 불신, 과거에 대한 부끄러움과 미래에 대한 불안 속에서 저는 매일 이어지는 하루에 지쳐 있었습니다. 무력했습니다. 목적지 없는 길을 계속 걷는 기분이었습니다.

멈춰진 계절 속에 있는 것 같았습니다. 남들은 다 앞으로 나아가는데, 저만 머물러 있는 것 같았습니다. '나는 왜 남들처럼 이겨내지 못할까.' 맴돌던 생각은 어느새 원망이 되었습니다. '하나님, 나는 왜 자꾸 뒤쳐지기만 해요?'

그즈음, 교회 안에선 '잘 걸어가고 있어.' 라는 말이 들리기 시작했습니다. 마치 유행어와 같았던 그 말은 우리 사이의 인사이기도 했고, 응원이기도 했으며, 반가움의 안부이거나 마음 담은 위로이기도 했습니다. 서로의 나눔 뒤엔 다정한 미소 위로 꼭 그 말이 붙었습니다.

예배당을 부유하던 문장은 어느덧 제게도 전해졌습니다. 솔직히 저는 처음 그 말을 들었을 때 뾰족한 마음이었습니다. 저의 멈춰진 시간을 알지 못하면서 건네는 무책임한 말이라고 생각했습니다. 정작 저는 어디로 가고 있는지도 모르는 미아가 된 심정인데, 제 마음도 모르고 건네지는 말들이 비어있는 것 같았습니다.

따스한 봄볕을 쬐는 얼굴로 가득 찬 진심을 담아 그 말을 건네는 교회를 보며 질투했습니다. 잘 걸어가고 있는 이들 속에서 저 혼자 발이 묶여 있는 것 같았습니다. 속 좁은 마음을 들킬까 전전긍긍하면서도 나의 느린 걸음을 조급해 했습니다.

그래서였습니다. 잘 걸어가고 있다는 말을 인사처럼 건네는 이들을 자세히 들여다보게 된 것은요. 어디로 가고 있고, 어떻게 가고 있는지를 보고 싶었습니다. 혹시 그들을 보면 제가 어디 있는지를 알 수 있을 거라 기대한 것인지도 모르겠습니다.

그런데 차근히 보다 보니, 각자의 삶을 듣다 보니, 알게 되었습니다. 저마다 걷고 있는 길이 달랐습니다. 걸어가고 있는 속도가 달랐습니다. 우리는 다 다른 곳을 걷고 있었습니다. 누군가는 슬픔과 원망으로 가득한 눈길을 걷고 있었습니다. 누군가는 아픔의 시기를 딛고 소망이 움트기 시작한 꽃길을 걷고 있었고, 누군가는 뜨거운 첫사랑으로 가득 찬 열대야에 서있었습니다. 덤덤히 하나님과 걸음을 맞춰 낙엽을 밟아가는 이도 있었습니다.

모두는 각자에게 허락된 계절에서 나름의 속도로 걷고 있었습니다. 다만 오직 하나님만이 그 속에 함께하고 계셨습니다. 우리에게 필요한 시간이 무엇이고, 가장 알맞은 속도가 어느 정도인지 아시는 그가 그 모든 시간을 함께 걷고 계셨습니다.

남들이 앞서가고 제가 뒤처지는 것이 아니었습니다. 일직선으로 그어진 선은 세상의 시간이었습니다. 하나님의 시간 속 우리는 모두 교차하며 걷고 있었습니다.

누군가는 저의 과거였습니다. 다른 누군가는 저의 현재였고, 또 다른 누군가는 저의 미래였습니다. 저 역시 누군가에게 그랬을 겁니다. 영원 속에 계시는 하나님의 시선에서 우리는 동그란 원을 돌고 있을 뿐이었습니다. 그 시간이 깨달아지는 순간 저는 제가 길을 잃은 것이 아니라는 것을 알았습니다. 저의 느린 걸음이 원망스럽지 않아졌습니다.

깊은 구덩이에 빠진 것 같을 때, 눈앞에 놓인 문제가 해결되지 않을 때, 깊은 우울에서 빠져나올 수 없을 때, 나만 느린 것 같다고 조급해하지 않기로 했습니다. 세상의 시선으로 비교하면서 무너지지 않기로 했습니다. 저보다 저를 잘 아시는 하나님은 제게 제일 잘 맞는 속도로 인도하고 계실 테니까요. 그렇게 끌어가시며 그의 때에 그의 뜻으로 쓰실 겁니다.

그러니 우리는 하나님의 시간 속에서 잘 걸어가고 있는 것 아닐까요. 실수가 없으신 하나님은 절대 우리를 길 잃게 하지 않으십니다. 한 순간도 눈 감지 않으시는 그가 계속 저희를 보고 계십니다. 믿을 수 없을 때조차 붙잡아 하루씩 견뎌내다 보면 언젠가 온전한 신뢰로 안온한 밤을 맞이하는 때가 올 겁니다.

잘 걸어가고 있다는 문장은 여전히 예배당을 부유하고 있습니다. 지금까지 잘 걸어왔고, 지금도 잘 걷고 있고, 앞으로도 함께 잘 걸어가자는 모든 의미를 담아서요. 저는 그 말의 모든 형태를 보았습니다. 붉어진 눈시울, 온기 어린 미소, 잔잔한 목소리, 맞잡아 떨리는 손, 끌어안는 품, 기대는 어깨. 그의 꿈을 품고 하나님 나라를 목적지로 한 교회가 그렇게 서로를 응원하고 있었습니다.

이제는 저도 말할 수 있습니다. 우리 모두는 하나님과 함께 잘 걸어가고 있는 중이라고요. 우린 그 안에서 안전하니, 각자의 계절에서 나름의 속도대로 충분히 슬퍼하고, 아파하고, 기뻐하고, 사랑했으면 좋겠습니다. 동행했으면 좋겠습니다. 그 걸음의 끝에서 하나님이 당신의 품 안으로 우릴 끌어안아 주실 겁니다.

세 번째 작가, 이유림

E-mail: urim0805@naver.com

지극히 평범한 제가 글을 쓰기까지 참 많은 고민이 있었습니다. 하나님과의 사랑을 다시 떠올리기 위해 글을 쓰기로 결심했지만, 좋은 문장이나 표현들을 적어야 할 것 같은 마음이 들어 힘들었습니다. 무엇보다 제 글이 다른 사람들에게 평가 받을까봐 겁이 났습니다. 그런 제게 하나님은 누군가에게 보여주려는 내용이 아닌 하나님 앞에 제가 진솔한 마음을 가져오길 바라신다는 걸 알게 됐습니다. 저의 글이 하나님께 드리는 진실된 편지가 되길 소망합니다.

공동체가 필요할까요?

“넌 MBTI가 뭐야?” 최근 서로를 알아가기 위해 물어보는 MBTI는 성격 유형 결과입니다. 외향적임을 나타내는 E와 내향적임을 나타내는 I의 비율이 반반씩 존재하는 저는, 이 질문을 받을 때마다 어떤 게 더 나를 잘 표현할지 항상 고민하며 상황에 따라 선택적으로 얘기합니다. 저는 스스로 내성적인 성향이 조금 더 강하다고 생각하는데요, 그러나 괜스레 외향적으로 보이고 싶은 희한한 마음도 있습니다.

내성적인 성격으로 어릴 적 처음 방문했던 교회에서 잘 어울리지 못했고, 그때 생긴 교회에 대한 편견으로 학창 시절에는 교회 가는 것을 달가워하지 않습니다. 수험생 시절 저는 대학합격이라는 기도제목을 위해 교회에 다녔고 그 꿈이 이뤄지자 교회를 떠나게 됐습니다. 성인이 된 후 세상의 유흥들을 신나게 즐기며, 하나님과 더 멀어졌습니다. 그러나 세상의 유혹들은 자극적이고 일시적이라 제 안에 있는 외로움과 불안을 해결해 줄 수 없었습니다.

결국, 진정한 채움은 하나님 안에서 이뤄져야 하는 것을 느끼게 되었지만 어릴 적 교회에서 느꼈던 소외감이 남아있어 여전히 교회라는 공동체에 가고 싶은 마음은 들지 않았습니다. 하나님과의 개인적인 만남만 잘 지키면 된다고 생각하던 제게 하나님께서는 대학생 시절 기독교 동아리를 통해 공동체의 따스한 부분을 느끼게 해주시고, 사랑을 채워주셨습니다.

졸업이 다가오면서 익숙해졌던 공간을 떠나 새로운 공동체에 들어갈 생각을 하니 덜컥 겁이 났습니다. 그래서 이왕이면 나의 참석 여부가 눈에 띄지 않는 대형 교회를 다니며 주일 성수를 지켜야겠다고 생각했습니다. 이때 제 기도 제목은 '하나님이 예비하신 좋은 공동체를 찾게 해주세요!' 였지만 실은 하나님께 '작은 교회가 아닌 큰 교회를 갈래요!' 라고 외치며 모순된 기도를 했습니다.

큰 교회를 섬기고 싶은 이유는 거창한 이유가 있기보다는 어릴 적 작은 교회를 다니면서 생겼던 큰 교회에 대한 막연한 로망 때문이었습니다. 대형 교회의 체계적인 시스템, 화

려한 예배 조명과 장식, 풍성한 사운드, 다양한 사람들과의 만남, 물질적인 지원 등이 제 시선을 사로잡았습니다.

그렇게 공동체를 찾지 못한 채 몇 주간 여러 대형 교회 탐방을 하며 지쳐갈 때쯤, 인터넷에 집 근처 가까운 교회를 검색했고 그중 이룸교회가 눈에 띄어 오게 되었습니다.

포털 사이트에 올라온 사진에는 예배당도 커 보이고 인원도 제법 많아 보여서 가게 됐는데, 실제로 가보니 건물 한 층에 있는 개척교회라 당황을 했습니다. 나중에 알고 보니 그 사진은 수련회 때 다른 공간을 빌린 것이었습니다. 인스타그램이나 유투브로 교회에 대한 정보를 조금만 찾아봤어도 개척교회임을 알 수 있었을 텐데, 유일하게 그 어떤 정보도 없이 가게 된 걸 돌이켜 보면서 하나님이 저를 이룸교회로 부르신 것을 느끼게 됐습니다.

개척교회인 것보다 저를 더 놀라게 했던 것은 예배당을 꽉꽉 채운 청년들의 모습이었습니다. 크리스천 청년들이 점점 없어지는 한국 사회에서 작은 개척교회에 모여 하나님께 뜨겁게 예배하는 청년들을 보며, 하나님의 사랑을 다시 확인할 수 있었습니다. 이곳으로 하나님이 이끄시는 걸 느꼈지만, 큰 교회를 가고 싶은 고집을 꺾지 못한 채 한동안 하나님의 부르심에 외면했습니다.

결국, 계속 생각난 이룸교회를 다시 찾게 됐고 그날 설교를 통해 진정한 예배에 대해 묵상하게 됐습니다. 누가복음에 있는 마르다와 마리아에 대한 설교였는데, 저는 예수님께 집중하기보다 마르다와 같은 분주한 마음으로 인해 다른 것들에 초점을 두며 진정한 예배를 드리지 못했다는 것을 깨닫고 반성하게 됐습니다.

하나님은 각자에게 알맞은 곳으로 인도하신다고 하셨는데, 한참 말씀에 대한 공급이 필요했던 저에게 하나님은 목사님을 통해 말씀으로 위로해주셨고 다시 기도의 자리로 나아갈 수 있게 하셨습니다.

그러나 저는 관계에 지쳐있었고, 새로운 관계를 맺기 위해 다시 저를 드러내고 서로를 알아가야 한다는 게 부담으로 느껴졌습니다. 무엇보다 저를 모르는 사람들이 저에 대해 어떻게 생각할지 고민이 됐습니다. 단순한 사례로 MBTI 역시 가볍게 넘어갈 수 있는 것임에도 저의 성격 유형을 말함으로써 그 프레임으로 사람들이 저를 바라보게 되고, 저 역시도 제가 말한 유형의 사람처럼 행동하게 될까봐 걱정이 됐습니다. 성격 유형에는 좋고 나쁨이 없으며 그저 개인 고유의 특성임을 알면서도 늘 타인의 시선에서 자유롭지 못한 저의 모습에 자책도 많이 했습니다.

아이러니하게도 저는 관계 맺는 걸 어려워하는 동시에 사람을 좋아합니다. 관계를 맺는 두 사람의 마음이 일정한 크기이기를 바라며, 내가 상대를 좋아하고 위하는 만큼 상대방이 날 그렇게 생각하지 않을 때 실망하고 서운해합니다.

'내 의가 드러나지 않아야지' 다짐하면서도 내심 제가 좋은 사람으로 비치길 원합니다.

그렇기에 제 선한 의도를 상대가 알아주지 못한다고 느껴지면 혼자 상처를 받고 선을 그으며 제 마음을 지킬 때도 있습니다. 모든 사람에게 사랑받기 위해서는 제가 좋은 사람이 되어야 한다는 압박이 저를 짓누르기도 합니다.

이룸교회에서도 새로운 공동체에 스며들 용기가 나지 않아 스스로 선을 그었습니다. 선을 긋게 된다면 제가 불필요한 감정 기복을 느끼지 않아도 된다고 생각하기 때문입니다. 그리고 이처럼 관계로 고민하는 제 모습을 보며 '왜 나는 항상 관계에 불필요하게 예민할까?' 생각하면서 나를 부족하게 지으신 것만 같은 하나님을 탓했습니다.

그래서 성령 충만하지 않은 것 같은 제가 글을 쓰는 게 맞을까 하는 의문이 들어 글을 쓰기 망설였습니다. 계속되는 망설임을 이전 공동체에서 함께한 언니에게 나눴는데, 언니는 제게 "사탄은 하나님 앞에서 고민하고 바로 서려고 하는 사람에게 다가가서 마음을 흔들지, 가만히 있는 사람에게는 다가가지도 않아."라고 얘기해줬습니다.

이 말을 듣고 고민했던 마음들이 점차 가라앉았습니다. 사탄은 제가 가만히 있을 때는 나타나지도 않더니, 제가 고민거리를 가지고 하나님께 나아가려고 할 때마다 제가 하나님과 가까워지는 것을 막기 위해 저의 가장 연약한 부분을 건드리며 고통을 주고 있다는 걸 깨달았습니다.

하나님은 때때로 우리를 훈련 시키기 위해 필요한 고통을 주십니다. 그러나 사탄은 우리를 훈련 시키기 위한 고통을 주지도, 줄 수도 없습니다. 그렇기에 사탄은 하나님이 우리에게 주신 훈련의 틈새에 들어와 우리가 하나님께 불만을 갖게 합니다.

그렇기에 하나님이 주시는 훈련의 고통과 사탄이 주는 고통을 잘 분별할 수 있어야 한다는 걸 깨닫게 되었습니다. 잘 분별하기 위해서는 당장 내 눈앞에 놓인 상황이 이해되지 않더라도, 내가 가장 연약한 부분이 나를 찌르더라도 그럼에도 불구하고 하나님께 매달리고 기도해야 한다는 것을 다시 한번 생각하게 되었습니다.

"여러 계시를 받은 것이 지극히 크므로 너무 자만하지 않게 하시려고 내 육체에 가시 곧 사탄의 사자를 주셨으니 이는 나를 쳐서 너무 자만하지 않게 하려 하심이라"

고린도후서 12:7

하나님은 저의 약함 속에서 그 능력의 진가를 드러내신다고 하셨습니다. 제가 계속해서 고민하는 관계의 문제는 완벽해질 수 없는 죄인인 제가 완벽함을 추구했고, 제가 완벽해지면 주변으로부터 사랑을 받을 수 있을 것이라는 오해를

했기 때문입니다. 그렇기에 하나님 앞에서 자신의 한계를 깨닫고 하나님이 저에게만 주신 고유한 모습을 인정하기로 했습니다.

제가 관계에 대해 예민한 것은 그만큼 관계를 소중히 생각하는 것이고, 죄인인 저는 사랑이 메말랐기에 타인으로부터 부족한 사랑을 계속 채우려고 했음을 느끼게 됐습니다. 그러나 하나님을 제외한 모든 사람은 사랑이 넘칠 수 없는 존재이기에, 온전하신 사랑인 하나님으로부터 채워져야 함을 알게 되었습니다.

하나님 안에서 자신의 한계를 직시하는 건 실패가 아닌 창조주이신 하나님을 더 높이 찬양하는 일입니다. 저는 내성적이고 사람을 좋아하며 관계 맺음을 좋아합니다. 저는 연약하기에 사랑받지 못한다고 느낄 때 그 잘못을 저한테서 찾고 속상해할 때도 있습니다. 그러나 이런 저를 창조하시고 사랑하시는 하나님을 기억하며 나아가고 싶습니다.

"진실로 다시 너희에게 이르노니 너희 중의 두 사람이 땅에서 합심하여 무엇이든지 구하면 하늘에 계신 내 아버지께서 그들을 위하여 이루게 하시리라. 두세 사람이 내 이름으로 모인 곳에는 나도 그들 중에 있느니라"

마태복음 19:19-20

더불어 고민이 회복되기 위해서는 혼자의 힘이 아닌 공동체에 속하고 이를 나눠야 함을, 같은 공동체에 속했던 언니와의 나눔을 통해 다시금 깨닫게 해주셨습니다. 사람은 연약하기에 혼자서 해결할 수 있는 문제는 그 어느 것도 없다고 하셨습니다. 그렇기에 하나님이 교회를 세우셨으며, 두세 사람이 모인 곳에 항상 하나님이 함께하신다고 말씀하셨습니다.

저는 여전히 불안정하고 저의 수많은 고민은 여전히 현재 진행형이지만, 주님이 만나게 하신 이룸공동체에 감사하며 완전하신 하나님을 믿고 순종하고자 합니다.

전지전능하신 하나님께서는 우리가 어떤 모습이어도 존귀하고 보배롭다고 하셨습니다. 그러니 다른 사람들과 비교하고 판단하는 것을 멈추고 '나'를 창조하신 하나님께 감사해하며 나아가고자 합니다.

흔들리는 믿음에도 불구하고

하나님을 만났음에도 저는 사탄이 부는 작은 바람에도 쉽게 넘어지고, 하나님은 방관자라며 원망하고 미워합니다. 가끔은 보이지 않는 실체를 믿어야 한다는 게 억지스럽다고 느껴질 때도 있습니다. 그러나 제가 넘어질 때 질책의 화살을 하나님에게 돌리는 것은 하나님이 살아계신다는 가장 큰 증거가 되는 것 같습니다.

힘든 순간으로 밀어 넣는 것만 같은 하나님을 향해 소리치는 저의 모습을 보면서, 제가 하나님의 존재를 인정하고 있다는 것을 발견했습니다. 때론 하나님이 저를 바라봐주지 않는 것 같고 그분의 능력을 의심하기도 하지만, 하나님의 존재 자체를 부정할 수 없게 됐습니다.

성령 충만할 때는 하나님이 내 모든 상황에 함께 하신다는 것을 고백하면서 어둠의 실루엣이 살짝만 제게 비춰도 왜 저한테 이런 어려움을 주냐고 하나님께 따지며 원망합니다. 그리고 하나님을 원망하는 제게 실망하기도 합니다.

죄인인 제가 이 세상에서 가질 수 있는 것은 그 어느 것도 없음에도 제게 주신 수백만 가지 좋은 것들은 당연히 여기고, 제게 주신 한정적인 고통에 대해서는 날카롭게 반응합니다. 비겁한 제 모습에 실망하기도 하지만, 제가 하나님을 원망하고 외면하는 것은 너무나 당연한 일인 것 같습니다. 이 세상의 선함은 오직 예수그리스도만이 가지고 있으며, 인간은 본래 죄로 가득하고 연약한 존재이기 때문이니까요.

길을 잃었을 때 올바른 방향을 제시하는 나침반의 지침을 유심히 살펴보면, 방향을 가리키는 지침이 미세하게 흔들리고 있는 걸 알 수 있습니다. 지침이 흔들리는 이유는 보다 더 정확한 목표를 향해 나아가려고 하기 때문인데요. 저 역시 제가 나아가야 할 방향은 예수그리스도임을 분명히 알고 있음에도, 연약한 저의 본성으로 인해 계속해서 갈팡질팡하며 고민합니다.

저는 너무나도 불완전하기에 완전하신 방향에서 계신 하나님을 향해 한 걸음씩 나아가기 위해서는 하나님께 저의 죄를 깨닫고 반성하게 해달라고 해야 합니다. 저의 믿음은 너무 보잘것없어서 계속 흔들리겠지만, 하나님이라는 최종 목적지를 바라보고 걸어간다면 제 흔들림은 결코 무의미하지 않을 것입니다. 왜냐면 하나님은 저를 가장 좋고 올바른 길로 이끄시는 분이니까요.

끝으로 전 세계 역사를 살펴보면, 중국은 유럽과는 달리 여러 차례의 왕조 교체를 겪었음에도 큰 영토를 하나로 통합시켜 결국 통일을 이뤘습니다. 통일왕조가 지금까지 유지되는 데는 여러 이유가 있겠지만, 역사적으로 살펴보면 하나의 큰 통일 왕조를 유지할 수 있었던 이유 중 하나는 춘추전국 시대를 통일한 진시황제가 그 토대를 마련했기 때문입니다.

진시황제는 진나라로 중국 전역을 통일시키면서 다져놨던 한 나라의 기반이 있었기에, 여러 혼란의 시대에도 불구하고 현재 중국으로 재통일 될 수 있었습니다. 혼란의 시대를 지나 계속해서 하나의 통일 왕조로 다시 돌아오게 된 데에는 세월이 지나도 그들에게 내재 된 같은 민족이라는 뿌리가 깊숙하게 자리 잡혔기 때문입니다.

신앙도 이와 마찬가지라고 생각합니다. 하나님을 만나고 하나님을 경배하지만, 연약한 존재인 저는 살아가면서 하나님에게서 자주 벗어나며 죄를 짓습니다. 그러나 명심해야 할 것은 제가 주님께 벗어났다고 해서 좌절하지 않아도 된다는 것입니다.

사사기에서 하나님은 400년 동안 자신을 떠났다 돌아왔다 하는 이스라엘 백성들을 계속해서 용서하시고 돌아오기를 기다리십니다. 제 마음을 주님께 내어드렸던 순간 하나님은 내 안에 깊이 들어오셨습니다.

그렇기에 지금 당장 저의 고민과 어려움이 해결되지 않아도 괜찮습니다. 처음 하나님께 내어드린 그 마음이 있다면, 아무리 시간이 오래 걸리더라도 언젠간 다시 하나님으로 인해 제 안에 통일이 이뤄질 것을 믿습니다.

역사는 승자의 기록입니다. 저의 역사도 승리의 주관자이신 하나님의 뜻대로 쓰이길 간절히 소망합니다.

네 번째 작가, 이아로

Instagram: @l_mind_07

하나님의 시선으로 세상을 바라보며 모든 사람을 사랑하기 위해 노력했지만, 사람이기에 모든 사람을 사랑하기에 어려움이 있었던 저는 하나님 앞에 내려놓기를 반복하면서 하나님 마음을 구했고 하나님 마음을 구하면서 하나님께서 말씀하시는 사랑에 대해 알게 해주셨는데 그 사랑을 이룸 교회에서 눈으로 직접 보여주셨답니다.

이룸 교회를 허락해 주신 하나님께 감사드립니다.

이룸교회를 알기 전

작년에 예배 가운데 은혜가 채워지지 않아 속상했던 시간들이 있었다. 삶에서 제일 중요하다고 생각한 신앙과 믿음이 흔들리는 게 무서웠고, 믿음과 신앙에는 예배가 주는 은혜가 크다는 걸 알기에 예배가 채워지지 않아 어떻게든 정답을 찾고 싶었다. 정답을 찾기 위해 모든 사역을 내려놔야 할 것 같은 마음이 들어서 신앙과 믿음 다음으로 소중하게 생각했던 찬양팀 사역을 내려놓는 과정에서 주님께서 나에게 주셨던 마음이 있었다. 주님께서는 찬양팀 사역이 아니더라도 어떠한 곳이던지 큰 은혜를 주시겠다는 마음을 주셨고 그 확신에 찬양팀을 기쁜 마음으로 내려놓을 수 있었다. 얼마 뒤 교회에서 라오스 단기선교를 갔고 라오스 사람들과 우리의 모습과 언어는 다르지만 함께 예배를 드리면서 주님 안에서 우리 모두가 하나라는 걸 느끼게 해주셨다. 그 마음이 한국에 돌아와서도 없어지지 않았고 다른 교회에서 예배드리는 청년부 예배가 궁금해졌다. 생각해보니 20살 때부터 다른 교회에 대한 마음이 있었고 그 마음을 위해 기도 했었다. 그 당시 관계 속에서 어려움이 있을 때 교회를 떠나는 건 하나님 마음이 아니라는 것을 말씀으로 알려 주셨고 20살 때 다른 교회에 가지 못했던건 아마도 하나님 마음이 아니었기 때문인 것 같다. 그리고 그 때 말씀을 생각하며 처음으로 하나님의 마음을 구하기 시작했었다. 조금이라도 이해 안 되는 사람이 있으면 주님 앞에 내려놓기를 연습했고 미워하는 사람이 있으면 사랑할 수 있도록 그 마음을 구하는 기도를 했다. 기도하자마자 그 사람을 사랑하는 마음을 가지기엔 너무 어려웠다. 그래서인가…. 27살이 될 때까지 다른 교회에 대한 마음이 중간중간 있었지만, 그 때마다 다른 교회에 가기 위해 기도를 하면 마음이 무거워져 옮길 수 없었다. 작년에 모든 사역을 내려놓게 하시고 예배를 어렵게 하실 그때를 뒤돌아보니 그 교회 공동체에는 내가 사랑하는 사람들뿐이었고 가끔 이해가 되지 않는 자녀가 있기는 했지만, 그마저도 하나님께서 품을 수 있는 마음을 주셨고 그 공동체가 그저 사랑스러웠다. 몇 년 동안이 공동체 안에는 미워하는 마음을 내려놓고 사랑하게 해달라고 기도했던 청년이 있었고, 행동이 이해되지 않았지만 품을 수 있는 마음을 달라고 울면서 기도했던 청년이 있었고, 내가 오랫동안 마음으로 품고 있었던 어쩌면 하나님보다 우상으로 생각했던 5년을 짝사랑한, 공동체를 위해 울면서 기도하고 내려놨던 청년이 있었다. 기도하면서 미워했던 감정들이 사랑으로 바뀌는 시간은 각기 달랐지만, 작년에 그 공동체에 모든 청년을 이해할 수 있었고 사랑할 수 있었다. 주님께서 20살 때 내가 잊고 있었던 그 기도를 들어주시기 위해 기다려 주셨는지 모르겠지만, 작년에 이미 나에게 너무 소중해진 공동체였기에 다른 공동체에 주신 마음을 부정하고 싶었다. 오히려 주님이 이해가 안 될 정도로 이제 와서 이 예배를 불편하게 만드는 이유를 알고 싶었다. 울면서 이 마음을 가져가 달라고 했지만 다른 교회에 가보기 위해 마음을 결정한 이유는 그저 주님이 주신 마음이 궁금했고 그 이유를 알기 위해서는 가는 것 말고 없을 것 같아서 아직은 알 수 없는 마음 하나만으로 신앙도 어려웠던 그 때의 나는 기도를 하지도 않고 처음 한 교회를 찾아가 청년부 예배를 드렸다. 처음 찾아간 교회에서 예배를 드리면서 오랜만에 평온하게 예배를 드리는 느낌이 너무 행복했다. 그리고 그 안에 하나님의 사랑이 너무 가득함을 느꼈고, 또 한 번 선교 때 그 마음을 느끼게 해주셨다. 그 당시 신앙이 무너져 있었던 나는 마음을 느끼기만 할 뿐 기도로 그 마음을 알려고 하지 않았고 그 교회에 관심을 가지고려 하지도 않았다. 그리고 전 교회에 대한 그리움과 마음이 떠나지 않아 전 교회를 번갈아 가면서 예배를 드렸다. 전 교회에서 예배를 드릴 때 여전히 은혜를 채워주시지 않고 불편한 마음을 주시는 하나님을 멀리하고 싶었고 그렇게 멀리하다 보니 정말 주님께서 멀어질까 무서워하고 있을 때 친구에게 연락이 왔다. 친구가 서울로 교회를 다닐 것 같다는 이야기를 해주었고 그 이야기를 듣자마자 그 교회를 위해 기도를 했다. 기도하면서 만난 하나님께서는 마음의 평안과 주님 안에서 사랑을 채우라는 마음을 주셨다. 그 교회가 이룸 교회였다.

이룸교회를 알게 되었다.

친구들도 계속 궁금해했고 이룸 교회에서도 이룸 교회에 오게 된 이유에 관해 이야기하는 시간이 있었지만 그때까지만 해도 이유에 대해 확신할 수 없어 이야기할 수 없었다. 그저 주님이 주신 마음이 궁금했던 것 같다. 그렇게 처음 이곳에서 예배를 드리게 되었고 한 주 한주 이곳에서 예배를 드리고 이룸 친구들의 나눔을 듣게 되면서 하나님께서 이 공동체를 만나게 한 이유에 대해서 알게 해주실 것 같았다. 이곳에는 하나님의 나라를 위한 꿈이 가득한 청년들이 가득했고 이룸 교회에 간 뒤 다시 하나님과 관계가 가까워 지면서 하나님께서는 나와 같은 시선을 가진 청년들을 알게 해 주셨다. 그리고 함께 기도할 수 있는 마음을 주시고 삶의 뚜렷한 목표와 비전을 알려 주셨다. 사람을 통해 하나님 나라를 생각하는 사람에게는 장애물이 없을 거라는 말씀을 해주시면서 이룸 교회에 온 뒤로 나에게 들려주시는 모든 말씀과 이야기들, 그리고 모든 일과 만남이 퍼즐 맞춰지듯 20살 때부터 지금까지 하나님 나라를 두고 기도했었던 기도 제목들이 생각났다. 하나님께서는 내가 순종할 것을 이미 알고 계셨고 나의 무너짐, 나의 거짓 일어섬까지도 예비하셨고 그 안에서 만난 모든 사람까지도 예비하셨다. 그리고 지금 이룸 교회를 허락해 주셨고 이룸교회에 넘치는 사랑을 부어주셔서 한 주 한주 넘치는 사랑을 저에게 채워주심을 경험하는 날들을 체험하는 중입니다. 그 사랑을 전하며 살아가기를 소망합니다.

*이룸 교회 다함 청년들에게

이룸 청년들을 보면 하나님께서 너무 기뻐하실 것 같아서 항상 눈물로 예배를 드릴 수밖에 없답니다.

가끔 저를 보고 놀라시는 분들이 계시는데 저 아무 일 없어요... 요즘 다함 청년들 덕분에 흐뭇한 하루를 보내고 있는걸요. 정말 너무 감사함에 눈물이 안 멈추는 것 뿐이랍니다.. 하하 하나님을 사모하는 마음이 너무 귀하고 믿음 지키기 어려운 요즘 시대에 마음을 지키기 위한 노력을 뛰어넘어 하나님 마음마저 생각하는 청년들과 함께할 수 있음에 정말 감사하답니다. 앞으로도 이룸 청년들과 함께 하나님의 마음을 알기 위해 노력하고 세상을 하나님의 시선으로 바라보며 사랑하는 우리가 되길 소망하고 기도하겠습니다.

다섯 번째 작가, 신유미

Instagram: @shin__yoom

아버지의 나라를 주시기 위해 지어진 우리의 생명, 주의 마음을 배우기 위해 살아가는 작은 인생이오니 그저 사는 내내 십자가를 말하는 사람이 되기를. 거저 받은 사랑, 삶으로 갚아내던 사람이 되기를. 내 이웃의 아픔은 함께 지나가며 그들의 작은 행복엔 오래 머무는 사람이 되기를.

그렇게 먼저 그의 나라와 뜻을 구했던 사람이었기를.

나의 꿈, 나의 나라

나의 이야기가 출판될 수 있다는 제안을 몇 번이고 거절했습니다. 아직 세상에 열어지기엔 너무 작아보여서 일까요. 혹은 저의 고백 속 여직 남아있는 두려움 때문일까요. 그러나 하나님의 생각은 아니었나봐요. 부족한 용기를 가지고 나아가보려 합니다. 마땅히 외쳐야 할 고백이 선포되게 하시고, 전해야 할 사랑이 흐를 수 있길 바라는 마음으로, 시작해봅니다.

저는 어릴 때부터 명확한 꿈 하나가 없었습니다. 학교에서 매년 나누어주는 장래희망 설문지에는 그 해마다 우리 할머니가 좋아하셨던 직업들을 번갈아가면서 적곤 했어요.

치과의사, 선생님, 똑똑박사까지 정말 다양했던 것 같아요. 하하. 친구들은 하나씩 가지고 있는 그 흔한 직업 하나가 저에겐 없었어요. 그렇다고 불안하거나 슬펐던 건 아니에요. 꿈이 없어도 하루 하루 채워지는 그날의 행복으로 충분했으니까요. 집에 가면 끓여져 있는 된장찌개에 굳이 스팸을 구워달라고 땡깡부리던 저녁 식사가 즐거웠구요. 퇴근하고 들어오시는 아빠랑 뽀뽀하면서 주머니에 동전 없는지 확인하던 일상도 재밌었어요. 저에게 꿈은 '초등학생이 되면 생기겠지, 중학생이 되면 떠오를거야, 고등학생이 되면 꾸고있지 않을까?' 삶으로 미뤄둔 큰 숙제였던 것 같습니다. 하지만 결국 대학 입시가 다가왔고, 지망 학교와 학과를 정해야 하는 순간이 찾아왔어요. 아직 전 직업을 만들지 못했는데 말이죠. 끝끝내 하나님은 저에게 작은 꿈 하나 던져주지 않으시더라고요. 그제서야 하나님이 원망스러웠어요. 제자리에 멈추어 있는 나의 걸음은 한없이 초라했고, 앞을 향해 나아가는 친구들이 그렇게 멋있어 보일 수 없었으니까요. 꾸역꾸역 학교를 진학하고 흐르는 시간을 버티기라도 하듯 스무살, 스물한 살, 스물두 살을 보냈습니다. 시간은 모두에게 공평한 게 맞나 봐요. 어느새 저도 스물세 살이 되어있었으니까요. 그리고 그 해 하나님은 저에게 첫번째 꿈을 허락하십니다.

그러나 하나님의 꿈, 그분의 나라

"그런즉 너희는 먼저 그의 나라와 그의 의를 구하라 그리하면 이 모든 것을 너희에게 더하시리라"

마태복음 6장 33절 말씀입니다. 이것이 태어나서 처음으로 받은 저의 꿈이에요. '무슨 꿈이 성경구절이야?' 싶으셨을지도 모르겠습니다. 그러나 맞아요! 저의 꿈은 이 땅 가운데에 하나님의 나라가 이루어지는 것입니다. 처음엔 너무 어려웠어요. 이보다 막연하고 추상적인 꿈은 세상에 없을 테니까요. 더 멋진 꿈을 달라고, 세상 속에서 편안하게 살 수 있는 꿈을 달라고 기도해보아도 돌아오는 대답은 여전했습니다. 백 번 천 번 기도해도 꿈을 바꾸시진 않았구요, 대신에 볼품없던 한 개척교회를 주셨습니다. 무슨 교회가 이름도 없었구요, 제대로 된 예배당도 없었어요. 여기서 어떻게 하나님의 꿈을 이루라고 말이죠. 코로나 이후에는 큰 교회들도 문을 닫는다고 하던데. 도리어 이름 없던 작은 교회의 문을 열게하셨습니다. 이곳은 마치 다윗이 사울을 피해 숨었던 아둘람 굴과도 같았어요. 아픔 많은 영혼들과 마음 속 슬픈 눈물들, 저마다의 상처와 그 위에 덧나있던 흉터. 그러나 선하신 주님의 십자가는 흩어진 영혼들을 그 아래로 불러 모으셨습니다. 작은 우리의 기도와, 커다란 주님의 계획 속 텅 빈 예배당에는 하나 둘 청년들이 모이기 시작했고, 그들의 온기로 이룸교회의 십자가는 식어질 틈이 없었어요. 서울시 강서구 화곡로. 제가 6살 때부터 살아온 동네 주소에요. 놀 것도 할 것도 없어서 매번 멀어지기 바빴던 화곡역이었는데 이제는 너도 나도 몰려들어요. 교회 때문에요. 처음엔 이해가 안 갔거든요. 교회가 뭐라고… 그런데 하나님께서는 이 작은 교회를 통해 너무나 많은 일들을 보여주고 계세요. 삶의 이유를 찾지 못하던 청년들이 다시금 살아갈 소망을 품고 있구요, 자신만 알던 사람들이 저마다의 이웃을 돌아보기 시작하구요, 내일을 꿈꾸지 않던 영혼들이 하나님의 나라를 꿈꾸고있어요. 제가 너무 작게 생각했나봐요. 공허했던 화곡 땅에 십자가를 세우시고, 세워진 십자가에 우리의 기도가 얹어지고, 더해진 기도 위에 성도의 눈물을 담으시어 하나님은 그분의 방식대로 이 땅에 교회를 세워가고 계셨습니다. "아버지의 뜻이 하늘에서와 같이 땅에서도 이루어지게 하소서" 하나님이 그분의 나라를 이 땅 가운데에 어떻게 이루고 계시는지, 작고 여린 당신의 자녀로 어떻게 주의 계획을 이루고 계시는지 다 가르쳐주셨어요. 십자가가 세워지는 모든 과정을 보게 하셨고, 그 영광에 초대해 주셨습니다.

그런데 저는요, 이 모든 영광이 자꾸만 한 곳을 향해버려요. 바로 한반도 땅이에요. 저는 남쪽의 축복을 넘어 북쪽의 회복을 함께 꿈꾸고 있습니다. 이런 제 꿈을 들은 사람들은 대부분 다시 저에게 질문해요. 너는 그러면 통일을 바라는 거냐고, 정치적인 평화를 원하는거냐고 많이들 물어보셔요. 하하. 글쎄요... 전 그런 건 잘 모르겠어요. 제가 바라는 건 그저 그곳에도 여전히 살아있을 주의 백성들의 안위와, 오늘 하루 배고픔과 싸우느라 지쳤을 어린 아이들의 평안, 무엇보다 그 땅 한 가운데에 세워질 십자가의 영광 그뿐이에요. 이 세상 모든 사람들은 사랑받기 위해 태어납니다. 버려지기 위해 허락된 생명은 어디에도 없어요. 내가 아무리 검다 여겨도 아름답다 말씀하시는 사랑, 그저 너의 존재 자체로 존귀하다 가르치시는 사랑, 끝없는 무너짐에도 일어나 함께 가자며 업어가시는 사랑. 이러한 예수 그리스도의 사랑을 우린 누리고 있잖아요. 그러니 그 사랑을 먼저 받은 우리가 아직 알지 못하는 이에게 보내야 하는 건 선택이 아닌 의무라고 생각합니다. 그저 그뿐이에요. 한 사람 한 사람, 하루 하루 전해지다 보면 언젠간 모든 열방이 주를 예배한다는 아득한 꿈이 이루어져 있지 않을까요. 12월이 지나고 날씨가 많이 추워지고 있습니다. 혹여라도 이 글을 읽고 계시다면, 누울 곳 없이 거리를 헤매이는 그 땅의 어린 아이들을 위해 잠시 함께 기도해 주실 수 있으실까요? 덕분에 지난밤, 이유 모를 온기가 그들의 잠을 데웠을거에요. 알 수 없는 평안이 작은 아이의 밤을 무사히 지켰을 겁니다.

서툰 문장들로 제가 품은 마음들을 꺼내어 보았어요.

세상은 자꾸만 제 걸음을 재촉했습니다. 앞을 보라고. 앞서 나아가는 저들을 빨리 쫓아가라고요. 그 재촉에 설득되어 편입 공부에 매달려 보기도 했었구요, 얼른 창업을 해야 하나 조급하기도 했답니다. 그러나 하나님의 생각은 늘 달랐어요. 내가 선 이 자리에서, 진정 우리의 눈이 향해야 하는 곳이 어딘지 알려주셨습니다. 빠르게 흘러가는 시대 속, 뒤처진 이웃들을 돌아봐주지 않겠냐고. 앞만 보다가 놓쳐버린 당신의 영혼들을 살펴주지 않겠냐고 물으십니다. 그때 깨달았어요. 사람들이 세상으로 나아가는 방향을 앞이라고 부른다면, 하늘에서 땅으로 가장 낮은 곳을 밟으셨던 그리스도의 걸음은 늘 뒤에 계셨다는 것을요. "푯대를 향하여 그리스도 예수 안에서 하나님이 위에서 부르신 부름의 상을 위하여 달려가노라"

어떠한 곳이 정말 우리가 나아가야 하는 앞인지 다시 생각해보게 되었습니다. 그리고는 계속 기도만 했던 것 같아요. 교회는 무너지고 성도들은 십자가를 외면하는 이 세대 가운데에서 나는 무엇을 바라보아야 하고, 무엇을 소망해야 하는지 물었습니다. 그리하니 이 땅을 향하는 아버지의 마음, 그럼에도 어여쁘다 말하시는 하나님의 사랑을 가르치셨습니다. 잠시 이 땅에 보내지어 때가 차매 본향으로 돌아갈 우리의 짧은 인생으로 나는 무얼 해야 하는지 물었습니다. 그리하니 가르치십니다. "아이야, 네가 살아야 하는 건 복음이란다." 그제서야 제 삶을 하나님께 다 내어드릴 수 있었던 것 같아요. 시간을 주관하시는 하나님이 나의 시간을 사용하시겠다는데. 나를 지으신 창조주가 내 삶을 쓰시겠다는데. 더이상 드리지 않을 이유가 남아있지 않더라고요. 솔직히 이 고백을 드린다고 모든 게 태평해지는건 아니에요. 여전히 두렵고, 무섭습니다. 당장 내일을 어떻게 살아야 하는지도 모르는 걸요. 그러나 이제는 알아요. 내 두 발이 누구 위에 얹어져있는지, 내 두 눈이 누구의 것을 닮아 지어졌는지, 내 앞으로의 모든 삶 또한 어디에 속해있는지요.

주께서 가라 하시는 곳이 제 걸음의 방향이 될 겁니다. 주께서 서라 하시는 곳이 제 삶의 푯대가 될 겁니다. 그가 나의 꺼지지 않는 등불 되신다 하셨으니, 그 끝자락의 불씨 되어 아버지의 영혼을 살려내던 한 사람으로 기억되어보려 합니다. 이것이 제 평생의 유일한 소망이에요.

'나의 이야기'라고 시작한 지난 날들이 돌아보니 온통 하나님의 이야기뿐인 것 같아요. 그렇다면 앞으로의 저의 이야기도 하나님이 쓰시겠다는 약속이겠죠? 에덴을 지으시고 심히 아름답다 경탄하셨던 하나님의 숨결이 우리 모두의 형상 안으로 불어져 있습니다. 아버지의 호흡으로 이 땅을 살아가게 하셨고, 그의 모든 것을 닮아 자라나게 하셨습니다. 그러니 우리 모두는 그저 살아있음으로 사랑받기에 합당하며, 존재 자체로 존귀한 하나님의 아이입니다.

훗날 아버지의 품에 안길 때에 자신있게 말씀드리고 싶어요. 후회없이 당신의 영혼들을 사랑했다고. 미련없이 아버지의 나라를 소망했으며 그것이 내 유일한 기쁨이었다고요. 이루 말할 수 없던 이 땅에서의 시간들을 다 위로받는 품이겠지요. 고작 25년이지만 말이에요. 하하. 나의 본향, 내가 돌아갈 영원한 나의 집. 그곳을 소망하며, 주어진 하루들을 열심히 살아내겠습니다. 들어주셔서, 읽어주셔서 감사합니다.

마지막으로 이 글의 주인되시는 나의 주님,

보내어 주신 이룸 속 나의 성산이 되시는 하나님께. 모든 고백 올려드립니다.

여섯 번째 작가, 진종운

Instagram: @devoto_2

이 좁은 길 외에 다른 길은 없습니다.

우울과 자기혐오 가득했던 삶의 끝자락에 선 저를 건져주신 하나님, 그리고 주의 종으로 쓰시기 위해 훈련 시키시는 모습, 이 모든 순간들이 하나님의 계획안에서 행복했습니다. 우리가 걷는 좁은 길이 행복하고 사랑받는 생명의 길이라는 것을 글을 보면서 조금이나마 힘 얻어 같이 걸어가기를 소망합니다.

좁은 길

난 모태신앙 가정에서 태어났다. 나는 어렸을 때 내가 세상에서 가장 최고인 줄 알았다. 3살까지 받았던 할아버지의 사랑, 기억은 잘 나지 않지만 나를 자주 최고라 하시며 키우셨다.

그때에 받은 사랑을 바탕으로 나는 유치원에서도 초등학교에서도 내가 최고인 줄 알며 자신감 넘치게 살았다. 반에서 분위기를 주도하며, 임원을 하기도 했다.

그 후 중학교에 올라왔다. 반대로 중학교에서 나는 활발하게 학교생활을 하지 않았다. 중학교를 올라와 보니 분위기가 달랐었다, 덩치가 크고 힘이 좋은 친구들이 많았고 여러 집단들이 생기며 학교 안에서 서열이라는 개념이 생겼다. 그 안에서 난 굉장히 말랐고 왜소한 사람이었다. 중학교에서 보이지 않는 약육강식 속에 난 좀 더 위축되어 살았다. 중학교 1학년때 키가 135cm였는데 그때에 내가 얼마나 작았는지 실감이 안 난다.

어렸을 때부터 왜소했던 탓이 었을까, 소형견이 대형견보다 더 강하게 짖듯이 나도 그랬던 것 같다.

초등학교 때도 그랬지만 중학교 때는 더 심하게 내 존재를 지켜야 했기에 더 강하게 말하였다. 그리고 내가 늘 최고라고 생각했던 오만과 교만으로 뱉었던 말과 행동들이 중학교 3학년 때 드디어 대가를 치렀다.

3학년 때 나는 말 한마디로 친구들과 선도위원회를 가게 되었다, 가해자 입장으로, 그 일로 나는 복도에서 20명 가까이 되는 아이들에게 둘러싸여 수많은 욕을 먹었는데, 당시 너무 힘들고 억울했던 이유는 나만 이런 일을 겪었단 것이었다. 그 당시 나는 '내가 한 말은 단 한마디였고, 다른 친구들보다 심하지도 않았는데, 왜 나만 이런 일을 겪는 거지!'라는 생각을 가장 많이 했다. 나는 그 이유를 내가 그 말을 처음에 하지 않았다고 부인을 해서라고 생각하였다. 물론 그 이유도 있지만, 아마 내가 왜소하며 힘이 없고, 당시 중학교에 있던 서열개념에서의 난, 한참 낮았던 사람이었기에 그랬던 것 같다.

그 일 이후로 나는 남은 2학기를 지옥 같이 보냈다. 반 친구들이 나를 보는 시선은 이전과 달라졌고 나를 욕했던 친구들은 중간중간 나에게 와서 시비를 걸기도 하였다. 그렇게 3학년을 마쳤다.

이 중학교 때 일은 하나님을 만난 뒤 알게 되었다. 하나님께서 내 입을 사용하시기 위해 빡빡 닦으시는 과정이었다는 걸, 그리고 내 말 한마디 때문에 이런 일이 일어난 것이 아니라 내가 살면서 지금까지 뱉어왔던 수많은 더러운 말들의 대한 대가였다는 것이다. 이 일 이후 난 말이 얼마나 중요한 것이지 배웠다.

앞으로 내가 다닐 고등학교를 정하는 과정에서 난, 그 일을 같이 겪었던 친구들과 함께 멀리 떨어져 있는 학교를 가기로 했다. 나를 아는 사람이 없는 학교를. 그래서 4명이서 같은 고등학교를 1지망으로 적었다. 근데 이게 무슨 일인지! 4명 모두 다 다른 학교로 배정되었다. 그 중에서는 나만 붙었다. 1지망이 붙었지만 정말 절망하였다. 친구들과 돌아오는 길에 장난 반 진심 반으로 "난 가서 바로 자퇴한다~"라는 말을 하였다.

드디어 고등학교를 입학하는 날이 되고 반에 들어갔다. 전부 모르는 사람 투성이었다. 수업이 시작되고 나에게는 공황 증상이 일어났다. 수업 시간에도 쉬는 시간에도 이 미쳐버릴 것만 같은 상황은 끝나지 않았다.

겨우 끝내 첫날을 마무리하고 부모님께 말씀드렸다. "저 자퇴할래요, 자퇴하고 싶어요" 이 말을 들으신 아버지는 자퇴해도 된다고 하셨지만, 어머니께서는 반대하셨다. "종운아 그래도 좀 더 다녀보자, 아직 첫날이잖아" 이렇게 말씀하셨다. 나는 더 다녀보기로 했다. 지금 생각하면 그냥 부모님 말씀 안 듣고 마음대로 가지 않았을 것 같은데, 그 당시에 나도 잘해보고 싶고 부딪혀 보고 싶었던 것 같다. 하지만 결국 나는 이겨내지 못하고 일주일 뒤 자퇴를 하였다.

자퇴를 한 후 집에서 시간을 보냈다. 물론 중간중간 친구들을 만나러 나가기도 하였지만, 만나서 게임방을 가는 것이 전부였다. 난 대중교통을 타지 못하였고, 사람들 많은 곳, 특히 내 또래가 많은 곳은 절대 가지 못하였다. 멀리서 또래 무리들이 오면 저 멀리 돌아가기도 하였다. 집에서 홀로 있는 시간 동안 나는 우울과 자기혐오에 빠져있었다. 과거에 내 잘못들을 매일 같이 후회하며 보냈고, 그런 나 자신을 극도로 혐오하며 쓰레기라 말했다. 사람들과 나를 매일 비교하고 질투하며 열등감에 절어있었고, 그 열등감은 다시 자기혐오로 돌아갔다. 이러한 생각들로 가득 차서 아무것도 하지 않으면 미칠 지경이었다. 그래서 집에서 게임만 계속 하였다. 그 순간은 그 생각들을 하지 않아도 되니까 하지만 게임이 너무 재미없었지만, 하지 않으면 다시 우울이 나를 삼켜서 컴퓨터를 켰다 껐다를 매일 반복했다. 밥은 식욕이 없어서 한 끼를 겨우 먹는 거 조차 힘들어했다 잠도 제대로 자지 못하였는데, 불을 끄면 무언가가 다가오는 기분이 들어 항상 불을 켜고 자야 했고, 부정적인 생각들로 가득 차 있었던 난 그 생각들이 너무 시끄러워 잠을 자지 못해서 내가 속으로 따라 부를 수 있는 노래를 들으며 잤다. '오늘도 버텼다.' 이 생각을 매일 하며 하루를 끝냈다. 그렇게 하루, 한 주, 한 달, 일 년, 그렇게 2년이라는 시간이 흘렀고 그 시간 동안 난 우울증과 외상 후 스트레스 장애라는 병을 가지게 되었고, 상담을 받고 약도 먹어 봤지만, 상황은 나아지지 않았다.

난 모태신앙이었지만 중학생이 될 때부터 교회를 나가고 있지 않았다. 어머니의 부탁으로 고등부 예배만 가끔씩 나가곤 했다. 어느 날 교회에서 70일 특별새벽기도회를 한다는 소식을 들었다. 어머니께서는 같이 기도회를 가보자고 하셨는데, 내 안에서 더 이상 세상 것에는 희망을 찾을 수 없었다는 생각이 들어서인지 어머니 말씀을 받아들였다. 그렇게 하루 이틀 계속 기도회를 참석했다. 하지만 아무것도 느껴지는 것은 없고 그 시간들이 무의미하게 느껴졌다. 그런데 문득 기도회 시간에 내가 이러한 삶이라도 살아갈 수 있는 이유에 대해 고민을 하게 되었다. 나를 꾸짖지 않으시고 나를 오래 참음으로 계속 품어 주셨던 어머니의 사랑, 그리고 나를 계속 찾아주시고 위로와 사랑을 보여주셨던 교회 고등부 선생님들, 이러한 주변 사람들의 사랑으로 버틸 수 있었던 것 같다는 생각을 했다. 그 후 난 남들에게 도움받았으니 나도 남을 도우며 살고 싶다는 마음이 들었고, 그것을 그 당시 고등부 목사님께 말씀드렸다. 그것을 들으신 목사님께서는 "종운아 너 목사님을 해보는 것이 어떠니? 나도 왜 갑자기 이런 말을 하는지는 잘 모르겠지만, 농담이 아니라 진심으로 말하는 거란다."라고 말씀하셨다. 나도 웃으면서 넘기려 했지만, 무언가 그 말이 내 마음에 탁! 하고 걸렸다. 소방관에게 구조된 아이는 나중에 소방관이라는 꿈을 품을 수 있는 것처럼, 나도 그런 것이었던 건가, 하나님 사랑으로 살아가고 있던 난, 목회자라는 꿈이 내 마음에 들어왔다.

다음 날 새벽기도회 때 무언가 말로 표현할 수 없는 감동이 밀려왔다. ' 주님, 나를 사용하여 주세요. 내 삶과 내 생명을 모두 드릴게요, 주님이 아니셨으면 어차피 없었을 내 삶과 내 생명, 주님께서 건지시고 사용한다 하시니 모두 드리겠습니다. ' 계속해서 기도를 이어갔고, 기도가 끝난 뒤 이 길이 내 의지가 아닌 사명임을 깨달았다.

그 후 삶의 주인이 내가 아닌 하나님으로 바뀐 나의 인생은 정말 180도 뒤바뀌었다. 내가 알고 있고 따랐던 세상의 진리들이 모두 말씀으로 깨졌고 진정한 진리를 따르는 삶은 너무도 행복했다. 그 후 어린이 사역을 하며, 하나님의 사랑을 더욱더 느끼고 경험하고 많은 것들이 회복되었다. 불을 끄고 잠을 잘 수 있고, 밥을 3끼 모두 먹으며, 대중교통을 타고, 대학교를 입학하고. 군대를 가서 전역도 할 수 있었다.

가끔씩 이 내가 가는 이 좁은 길이 두려울 때가 있다.하지만 삶의 주인이 나였을 때에 삶을 알고 결국 그 끝에는 뭐가 있는지 보여주셨다. 나에게 다른 길은 존재하지도, 존재할 수도 없다. 그래서 이 길을 걸어가는 것을 포기할 수 없다. 그리고 이 길을 걸으면서 알 수 있었다. 이 길은 좁은 길, 고난의 길이 아닌 영광의 길이고 생명의 길이라는 것을.

나에게는 그대로 따라 살고 싶은 말씀이 하나 있다. '내가 달려갈 길과 주 예수께 받은 사명 곧 하나님의 은혜의 복음을 증언하는 일을 마치려 함에는 나의 생명조차 조금도 귀한 것으로 여기지 아니하노라. 사도행전 20장 24절. 내 삶과 내 생명은 내 것이 아니기에, 내 생명을 조금도 아까워하지 않는 사역자가 되기를 간절히 소망한다.

청년의 때

군대에서 하나님께서 붙여주신 동역자가 한 명이 있었다. 같은 날 전입 오게 된 동기 하람이 형이다. 자대를 온 첫날 나와 같은 신학과라는 것을 알게 되었고, 우리는 급격히 친해지고, 매일 동고동락하며 군생활을 했다.

전역 약 한 달 전, 부대에서 하람이 형이 이룸교회라는 곳에서 청년부 수련회를 하는 데 같이 가자고 말하는 것이 었다. 나는 다른 교회 수련회이기도 하고 낯을 많이 가려, 필요성을 느끼지 못해 가지 않겠다고 말했다. 그리고 난 청년 공동체에 속해본 적이 없어서 나도 모르는 두려움이 있었을 수도 있다. 그렇게 몇 번에 거절 뒤 하람이 형이 " 네가 청년 공동체를 경험 못 해봤으니, 그저 이 건강한 공동체를 경험해봤으면 좋겠다."라는 말에 결국 알겠다고 하였고, 수련회를 갔다.

수련회 장소로 들어간 뒤, 놀란 것이 있다. 개척교회라고 들었는데, 수 많은 청년들이 있고 그 많은 청년들 가운데 따로 홀로 붕 뜨는 사람이 없다는 것이었다. 서로에게 모두 다가가고 이야기하고 위해주고 사랑해주는 모습은 나에게 큰 충격이었다. '한국교회에도 이런 청년 공동체가 있구나' 하고 말이다. 그리고 자연스럽게 '나도 이런 공동체에 속하고 싶다.'라는 마음이 스며들었다. 하지만 난 원래 다니는 교회가 있었던 터라, 마음을 주지 않기 위해, 마음을 열지 않았다. 하지만 사람들은 계속 내게 다가와 주었다. 내가 마음을 열지 않아도 계속해서 내게 말하고 다가와 주는 사랑, 하나님의 사랑이었다.

수련회 중 매우 힘든 점이 하나 있었는데, 바로 예배였다. 군교회에서 채우지 못한 1년 6개월에 예배, 그곳에서 예배는 내게 살아있는 예배로 느껴지지 않았다. 1년 6개월만에 살아있는 예배를 드리자, 찬양 시간에도, 설교 시간에도, 기도 시간에도 잡생각이 끊이지 않았다. 내 머릿속은 영적 전쟁으로 터질 것 같았고, 그 안에서 두려움과 내 믿음없음을 보았다. 그렇게 예배를 드리며, 수련회 마지막 날에 하람이 형이 내게 말했다. "사역자에게 3가지 교회가 있는데, 하나는 내가 자라는 교회, 둘째는 내가 배우는 교회, 마지막은 내가 사역하는 교회인데, 지금 다니는 교회가 너가 배우는 교회면 나도 말하지 않겠지만, 나도 이룸교회를 배우러 왔고, 너도 함께 나랑 배우며 동역하면 좋겠다." 이 말을 듣고 나서 고민을 해보겠다고 한 뒤, 다음 주일 예배를 참석해보았다. 사실 그때부터 다니고 싶은 마음이 내 안에서 결정되었는지도 모른다. 난 첫 예배부터 놀랐었다. 수련회라는 특수성 때문에 뜨거운 줄 알았던 청년부 예배는 주일에도 뜨거웠다. 청년들의 찬양과 설교를 듣는 모습 그리고 그 뒤에 청년들끼리 나누고 앞에서 고백하는 모습까지, 이 교회를 다니고 싶은 마음은 계속해서 커져만 갔다. 그렇게 한 달 정도 등록하지 않은 채 다녔고, 다니는 동안 주일에만 나와 예배만 드리는 것은 공동체에 스며들 수 없다고 생각했다. 그때 마침 김연국 목사님께서 밥을 먹자고 말씀하셨고, 이야기를 나누며 지금 내가 있어야 할 곳을 확신하고, 교회를 옮기기로 결정했다. 이전 교회에 말하는 것은 쉽지 않았지만, 주님께서 이끄시는 대로 말씀드리니, 마음 편하게 옮길 수 있었다.

그렇게 등록을 하고, 셀에 들어갔다. 내가 배정받은 셀은 '찬호셀'이였다, 첫 셀 모임 처음이니 자기소개나 간단한 삶 나눔 정도만 하고 끝날 줄 알았다. 하지만 하나님께서는 처음부터 셀원들의 아픔을 듣게 하셨고, 나의 아픔도 나누게 하셨다. 첫 셀 모임부터 하나님께서는 나를 완전히 낮추셨다. 우리나라는 불행마저 비교를 하며, 순위를 매긴다. 나 또한 무의식처럼 내 안에 아픔을 비교하는 마음이 있었던 것 같다. 그리고 난 내 또래 중 내가 가장 아팠다고 생각했던 것 같다. 사람들의 아픔을 듣고 내 생각들과 교만함이 한순간에 와장창 깨지며, 한없이 낮아지는 순간이었다. 그 후에도 찬호셀은 깊은 나눔을 매주 이어나갔다. 나눔을 하면서 많이 배우며, 공동체끼리 나누는 것이 얼마나 중요한지 배웠다.

그 뒤에 매주를 예배를 나가면서 찬호가 자주 하던 말이 있었다. "종운아 오늘 같이 예배드리자". 나는 '같이 예배를 드리자고?, 예배는 혼자 드리는 거 아닌가?'라는 생각을 했다. 난 처음 이룸교회 예배가 어려웠다. 이룸교회 예배는 옆 사람과 서로 손을 잡고 찬양하기도 하고 기도를 하기도 한다. 무엇보다 설교를 들은 후 옆 사람과 간단하게 나누는 시간도 있다. 난 이런 것들이 처음이었고, 어색하고, 쑥스럽기도 했다. 그래서 나는 앉자마자 '아 이 사람과 오늘 나눠야 하는구나' 라는 생각도 자주 했다. 하지만 계속되는 예배를 통해 한 공동체로서 같이 예배를 드린다는 것을 알게 되었고, 옆 사람과 나누는 것이 더 이상 두렵지도 부끄럽지도 않게 되었고, 오히려 그 시간을 기다리게 되었다. 하나님을 사랑하는 사람들끼리 같은 마음으로 찬양하고 그 사랑을 나눈다는 것, 같이 예배하는 것과 그 기쁨을 알게 되었다.

그렇게 몇 달 뒤, 이룸교회에서 특별기도회를 한다는 것이었다. 그 당시 난 전역 후 연약해진 신앙과 예배를 회복하는 중이었다. 그래서 특별기도회를 모두 참석하기로 결정했다. 교회와 조금 거리가 있는 상황이었지만, 그만큼 나에게 시간을 허락하셔서 갈 수밖에 없게 하셨다.

그렇게 특별기도회를 참석하였고, 처음 이틀 동안 느헤미야 설교를 들으며, 한국교회를 위해 중보 하는 시간을 가졌다. 그런데 기도를 하면서 이상하게 마음이 아프지 않은 것이다. 머리로는 그 상황과 심각성을 알아서 아픈데, 이상하게 마음에서 그 아픔이 느껴지지 않았다. 그래서 나는 '하나님 어떡하죠? 제가 앞으로 갈 길에 한국교회를 위해 아파하고, 영혼들을 위해 아파하는 마음... 긍휼함이 없으면 어떡하죠?'라고 하나님께 물어봤다. 난 '긍휼함'은 내가 앞으로 가야 할 길에 필수 덕목이라고 생각했다. 그때 하나님께서 나에게 말씀하셨다. " 종운아, 긍휼함은 너의 것이 아니란다. 나의 것이란다.". 그렇다, 긍휼함은 죄인인 나는 품을 수 없던 것이었다. 밥 먹는 것, 잠을 자는 것, 대중교통을 타는 것조차도 내 힘으로 한 것이 없고 모두 주님의 은혜로 가능한 것이었는데, 한 영혼과 그걸 더 넘어서 한국교회를 향한 긍휼함을 갖는 것은 내가 할 수 있는 나의 영역이 더 더욱 아니었다. 그 후 하나님께서 한국교회와 한 영혼을 바라보시는 하나님의 마음을 조금이나마 담고 닮아가기를 소망했다. 한 사람의 마음과 생각을 알려면 그 사람과 대화를 자주 하고 만나야 한다. 그리고 그 방법은 예배와 기도라는 것을 기도회를 통해 알게 되었다. 그리고 예배란 것은 단순히 예배 시간에 찬양하고 설교를 듣는 것이 아니었다. 거리가 좀 있지만, 하나님을 예배하고 싶은 마음으로 오는 지하철에서의 시간, 교회에 와서 예배 전에 공동체와 교제하는 시간, 그리고 하나님을 사모하는 마음 하나로 모여 찬양 연습을 하는 찬양팀을 바라보는 시간들, 한 순간 한 순간마다 내 안에 계속해서 무언가 차오르는 채워짐... 이 모든 순간들이 예배였다. 이룸교회에 와서 예배의 회복, 공동체에 소중함, 예배와 기도의 중요성, 그리고 하나님의 마음을 배우는 순간들이었다.

마지막으로 내가 생각하는 최선의 기준이 있다. 그것은 ' 내가 만약 그때로 다시 돌아간다면 그때처럼 다시 못할 것이다'이다. 목사님께서 설교 중 하신 말씀이 있다. 자신은 청년의 때로 돌아가면 똑같이 그렇게 하나님을 사랑하고 기도하지 못할 것이라고, 이 말을 듣고 많은 도전이 되었었다.

다시는 안 올 '청년의 때' 이룸교회에서 최선을 다해 하나님을 사랑하며 보내기를 소망한다.

일곱 번째 작가, 김대한

Instagram: @_k.daehan

문득 마음은 세상을 뒤집을 커다란 힘을 지닌다고 생각했습니다. 그렇게 나를 짓눌렀던 결핍과 아픔을 내어두고, 사랑받아 마땅한 것을 사랑하기로 다짐했습니다. 저의 글이 괜찮다고 말해주는 노래, 살려내는 문장이 되길 그저 바랍니다.

초행

우리는 불합리와 모순 속을 헤엄친다. 숙련된 항해사가 된다기보다, 초행길을 무한정 거듭하는 것처럼 느껴진다. 나는 모든 시도가 그렇게 서툴다.

나는 한 부모 가정에서 유년시절을 보냈다. 고루 사랑받지 못하였다고 생각했고, 결여는 금세 열등의식으로 이어졌다. 남들처럼 친구들을 모아 생일잔치 한 번 해보는 것이 내 소원이었다. 다들 그렇게 사는 줄만 알고서 한탄하는 날들의 연속이었다.

집은 나에게 돌아갈 곳이 되지 못했다. 비난과 고함이 오가던 열 평 남짓 전쟁터. 맞설 힘도, 도망칠 용기도 내겐 없었다.

또, 대게 차분하지 못했다. 늘 나의 날 것을 감추기에 바빴기 때문일까? 할 줄 아는 시늉만 하다가 정말 아무것도 할 수 없는 사람이 되었다. 드러내지 않는 상처를 어루만질 이는 없었고, 메마른 감사를 쥐고 일어날 힘 같은 건 나에게 없었다.

아무것도 주어지지 않은 현실이 사무치게도 서러웠다. 나는 서서히 모든 관계에 보이지 않는 벽을 두었다.

내 안에도 사랑이 있었을 텐데, 상처가 사랑을 온통 덮어버렸다. 나는 오는 사랑을 받는 것도, 전해야 할 말을 전하는 것도 못하는 건강하지 못 한 사람이었다.

그런 나에게도 꿈이 있었다. 어느 때에는 교육직에 속하는 것, 또 어느 때에는 곡을 쓰고 노랫말을 적는 사람으로 마땅히 해야할 바를 하고싶었다. 늘 마음 깊은 곳에 있는 무언가를 말하고 싶었던 것 같기도하다.

그렇게 입시생으로 지내던 2017년 여름, 나는 처음 하나님을 인격적으로 만났다. 모질고 서툰 나에게 그 사랑은 너무 과분했다. 주체할 수 없이 눈물을 쏟고 내게 새겨진 단어는 '사랑'. 삶의 모든 순간이 낱낱이도 사랑이었다. 반가워하는 마음, 응원의 말, 나를 바라보는 눈빛에 사랑이 담겨있음을 알게 되었다. 무엇보다 엄마의 인내와 아빠의 수고로움이 사랑인 것을 깨달았다. 초행길을 걷는 서툰 사랑을 깨닫고, 나는 그제야 오래도록 부끄러워했다.

또한 새겨진 것은, 가족들이 나를 감싸안는 미련한 방법을 선택했다는 것. 온 가족이 삶을 걸어 지어낸 온실 속, 나는 새어드는 찬 바람에 아파했다. 그것은 찢어질 듯 아팠지만, 그들이 마주한 외로움의 크기를 나는 아직도 다 알지 못한다.

바보 같은 그 길을 우리는 사랑이라 일컫는다. 그들의 삶이 십자가 사랑과 너무 닮아있어서, 아직도 기도할 때 그들을 생각하면 덜컥 눈물이 나곤 한다.

“대한아, 너를 통해서 너의 가정에 복음이 흘러 갈 거야. 누나도 있고 다른 주변인들 많겠지만, 대한이 너를 부르신 거야.” 이룸교회를 만나고 한 달이 조금 안 되었을 때에 김연국 목사님께서 해주신 말씀이다. 말이 가진 힘인지, 하나님의 마음인지 이 말을 들은 이후 나는 무언가 달라졌다. 묘한 감정들이 요동쳤다. 그리곤 마치 그것이 원래 그 자리에 있었던 듯이, 마음 한 가운데에 자리했다.

미련한 사랑, 나는 지독하게도 그것을 물려받았나보다. 사랑을 사랑할 수밖에 없음이 애석하다. 그러나 벅차게도 감사하다. 덕분에 나는 엄마가 예수님의 마음을 알아주는 한 사람이 될 것이라 확신할 수 있으니까. 아스라이 멀어 보여도, 그건 분명 천국에서 온 기쁜 소식이니까.

작년 한 해 나에게 선명한 꿈이 하나 생겼는데, 그것은 집이 없는 영혼들에게 사랑을 전하는 것이었다. 그것은 비단 길에서 잠을 청하는 사람들뿐만 아니라, 방황하는 청소년들, 지쳐버린 어른들을 비롯한 수많은 마음이 가난한 영혼들이다. 또 다른 나를 위한 기도. 아팠던 기억의 해석이 이제야 조금 선명해졌다. 포기하지 않고 기도하고 싶다. 올곧은 기도는 하늘에 닿으리라 믿는다. 마음은 줄곧 이어져왔으니까.

그것은 밉게도 얽혔던 욕심으로부터,
이기적인 마음을 부수는 사랑으로
눈을 맞춰 보듬으시는 아버지의 품으로
하나님의 나라로.

불빛처럼 예쁜 마음, 우리들

"하나님, 저는 사랑을 주는 사람이 되고 싶어요."

받은 사랑을 평생 갚아나가며 사는 것은 여전한 나의 소원이다.

스무 살 무렵, 내가 속한 사역팀이 분열되고 나의 교회는 위태로운 길을 걷고 있었다. 나에게 사랑을 표현할 곳이 없어졌다고 생각했다. "하나님 나는 이제 어떡하죠?" 하던 의문은 다시 나의 결핍을 드러내는 화면이 되었다. 제때 잠에 드는 날이 드물어졌다. 헤매였고, 몸과 마음의 환기가 필요했다.

그 때 만난 낯선 공간이 이룸교회였다. 5년 만에 회

중으로 드린 예배에서 나는 다시 하나님을 만났다. 그때의 기억은 내가 하나님을 처음 만났을 때와 너무도 닮아 있었다. 토라진 어린 아이를 어루 달래듯, 하나님은 늘 그렇게 나를 기다리셨다.

환영받는 것이 참 오랜만이었다. 둘러앉아 이야기를 나누다 아쉬움으로 안녕을 말하던 하루하루가 너무나 따뜻했다. 긍휼과 사랑이 담긴 예쁜 눈동자를 아마 나는 평생 잊을 수가 없을 거다.

다시 상처받게 되더라도, 땅을 치고 후회하는 일이 있더라도 괜찮다. 나는 이 공동체에 전부를 쏟겠다고 다짐했다.

용기가 필요할 때 종종 읽는 고 박완서 작가님의 에세이에 이런 말이 있다. '쓸모없는 인간이 있다면 그건 아무도 그의 쓸모를 발견해주지 않았기 때문입니다.' 이룸교회가 그러했고, 나는 소리 내어 읽기를 재차 반복하며 쓸모를 발견하여 일러주는 사람이 돼야겠다고 다짐하고 기도했다.

그렇게 회복을 경험한 2023년도 초여름, 나의 가장 큰 기도제목은 무뎌지지 않게 해달라는 것이었다. 처음과 같은 마음으로 사랑하길 원했다. 그러나 별 수 있나. 나는 어김없이 무너졌고 예배를 삶으로 이어낼 수 있는 힘은 나에게 없었다.

채찍질이 익숙하던 때가 나았다고 생각할 무렵, 교회엔 추수감사를 맞아 특별 새벽 기도회가 예정되어 있었다. 집이 멀다는 명분이 있었기에 현장 예배를 참석할 생각은 추호도 없었다. 그런데 불현듯, "이번 기도회를 모두 참석하면 예전으로, 처음 하나님을 만났던 때로 돌아갈 수 있지 않을까?" 하는 생각이 스쳤다. 의문과 기대 사이의 무언가. 나는 새벽잠을 깨워 첫 기도회를 참석했다. 분주한 시간을 지나 마지막 날 기도회까지 끝나고서, 불 꺼진 예배당에 눈을 뜬 채로 구석에 기대 앉았다. 그곳엔 오롯이 하나님과 나 뿐이었다. 더 바랄 것이 없었다. 가득 빈 마음엔 어느새 예수의 이름이 새겨져 있었다. 아, 나는 그제야 하나님의 품으로 돌아갔다.

우리네 인생은 보물찾기와 같다는 생각을 종종 한다. 하나님이 남겨두신 편지, 누군가 남겨둔 보물의 흔적을 찾아 걸어가는 것. 한 치 앞도 알 수 없는 불안 속에 예수의 꿈을 담는 것.

생각처럼 되는 일이 단 하나도 없어서 다행이다. 그것으로 나는 당신들을 알고, 사랑을 알았으니까. 또한 마음이 가난해서 다행이다. 여백에 당신들과 예수의 꿈을 채울 수 있으니까. 요란한 소리를 내며 깨지는 그릇이 될 수 있으니까. 나는 그렇게 죽어지고 싶다. 그것으로 넉넉하다.

이룸교회라는 작은 공간에 각자의 사연들이 모였다. 금세 분주하고 소란해진 교회의 모습에 아쉬움을 가졌지만, 용기를 내어 삶을 꺼내어주는 그들의 눈동자를 보면 우리는 모두 그 때의 나를 본다. 따라 용기를 내어본다.

모순 같은 현실 한 가운데에서 하나님을 외치는 사람. 멍든 가슴의 예배자. 그 한 사람이 내가 되길 소망한다. 그것이 우리의 이룸교회라 확신한다.

불의와 역설이 우릴 가로막고서 정직한 그리스도인이 어디 있냐고, 너희가 외쳐 부르는 예수가 어디 있냐고 묻는다면, 나는 당당히 이룸교회를 앞세워 증거할 것이다.

사랑하는 나의 공동체. 아팠던 날들을 딛고 기쁜 소식을 전할 복음의 통로. 저마다 그리는 하나님 나라가 있겠지? 그것은 시작도, 과정도 모두 다르지만 우리는 한 자리에 모여 잔치를 연다. 주최자는 예수요, 눈물을 닦으시고, 모두의 손을 잡고 춤을 추시는 분. 영원 전부터 쌓여온 그 시간들에 차츰차츰 우리는 가닿을 거야.

여덟 번째 작가, 문정희

Instagram: @jughee9_6

저의 이름은 곧을 정에, 기쁠 희로 지어졌습니다. 어렸을 때는 저의 이름이 왜 그렇게 싫었는지 바꾸고 싶었어요. 하지만 하나님을 만나고 지으신 이름 뜻대로 살아가는 저를 발견하게 되었네요. 기쁨이라는 단어가 어울리지 않는 얼굴이었는데 하나님을 만나고 이전의 모습들은 자주 보이지 않게 되었어요. 저의 회복을 통하여, 한 영혼도 포기하지 않으시는 하나님의 사랑을 전하는 삶이 되는 것이, 그렇게 하나님의 나라가 이루어지는 것이 평생의 소원입니다.

드린 삶

나의 삶은 내가 원하는 대로 되지 않았다. 내가 원했던 것은 화목한 가족, 꿈꿨던 직업, 좋은 친구들, 행복한 삶이었다. 하나님은 나에게 어떤 것도 허락하시지 않았다. 그런 줄 알았다.

나는 첫째로 태어나 어쩔 수 없는 책임감을 가지고 살아왔다. 부모님은 내가 어린 나이에 이혼하셨다. 어렸던 나에게 말해주지는 않았지만 나는 그것을 눈치로 알았다. 아빠는 어느 날부터 집에 들어오지 않고 내가 보는 엄마는 힘들어 보였다. 친구들에게는 아빠는 먼 곳으로 출장을 가셔서 집에 없다고 둘러댔다.

일찍 결혼하셨기에 이혼할 당시에도 어린 나이였던 나의 엄마는 집에 잘 들어오지 않았다. 지금은 이해한다. 친구들은 한참 꿈을 펼칠 나이에 아이 둘을 떠맡아 키워야 했던 엄마의 마음을.

집에 홀로 남아 동생을 돌보며 잠들어야 했던 날들의 밤은 너무나도 무서웠다. 비가오는 날엔 엄마가 혹시 사고가 나지는 않을까, 추운 날엔 빙판길에 넘어져 엄마가 다치지는 않았을까 걱정했다. 엄마가 돌아오지 않을까봐 두려웠다.

무서웠던 매일의 밤에 나는, 무서워할 수가 없었다. 나는, 언니였기 때문이었다. 첫째 딸이었기 때문이었다. 무섭다고, 외롭다고 말할 수가 없었다. 그러면 내가 짐이 될 것 같았다. 그렇게 외롭게 컸다. 짐이 되지 않으려 애썼고 누구에게도 기대지 않고 혼자 어른이 되었다.

스무 살이 되던 해에 나는 다시 한번 혼자가 되었다. 엄마가 뇌출혈로 쓰러져서 수술을 받게 되었다. 동생과 셋이 살던 집을 더 이상 유지할 수 없었고, 재활 치료를 받아야 했기에 집을 정리해야 했다. 그래서 나는 스무 살의 나이에 혼자 살게 되었다.

일주일에 6일을 일을 하며 외로움을 느낄 새가 없이 살았다. 열심히 살면 나한테 머물던 어둠을 느낄 새가 없어 좋았다. 코로나로 인해 다니던 교회에도 나갈 수가 없었다. 믿지 않는 가정에서 태어난 나는 혼자 교회를 다녔기에 코로나가 완화가 되었을 때에도 2년만에 다시 교회에 가는 것은 어려웠다.

스물 한 살이 되던 해 우연히 한 시간 거리의 개척교회에 가게 되었다. 취미로 배웠던 기타 레슨 선생님께서 소개시켜주신 교회였다. 그 교회가 이룸교회였다. 나는 이룸교회에서 하나님을 만났다.

이룸교회에서 예배를 드리고 하나님과의 첫사랑을 경험했다. 한 시간 거리의 교회에 매일 새벽예배를 드리러 갔다. 첫 차를 타고 하나님을 만나러 가는 길은 설레고 행복했다. 함께해주신 하나님께 너무 감사해서 첫 시간을 하나님께 드리기로 했다. 그 후엔 삶을 하나님께 드리고 싶어서 하던 일을 그만두었다.

이곳의 공동체는 이상했다. 따뜻했다. 처음 느껴보는 따뜻함이었다. 교회에 두 번째 갔던 날, 밥을 먹으러 가는데 몸이 안 좋아서 밥을 먹을 수 없었다. 밥을 먹지 않고 앉아있는 나를 보고는 누군가 약을 사다 주었다. 그것이 나에게는 조건 없는 사랑으로 느껴졌다. 두 번째 보는 이 사람은 거의 모르는 사람이라 느껴졌을 텐데 그들은 그렇게 사랑을 주고받는 것이 익숙해 보였다.

그들과 이야기를 나눠보면 하나같이 삶이 참 아팠다. 하지만 함께 웃고 떠들 땐 그렇게 아팠던 모습들은 보이지 않았다. 아무런 고난 없이 살아온 사람처럼 평안해 보였지만 들여다보았을 땐 그렇지 않다는 것을 알았다. 나는 이야기를 들려주고 그들의 이야기를 들으며 나만 외로운 싸움을 싸웠던 것이 아니라는 것을 알았다.

하나님은 한 번도 나를 홀로 두지 않으셨다. 무섭고 외로웠던 밤에도 늘 함께하셨다. 울며 드렸던 기도를 들으셨다. 하나님을 만나 그동안 외로웠던 날들이 외롭지만은 않았다는 것을 알게 되었다. 하나님은 나와도, 그들과도 함께하셨다.

아팠던 과거가 감사가 되었다. 나에게 행복한 가정을 허락하셨다면 하나님을 만날 수 없었을 것이라는 생각이 들었다. 아픔을 주셔서 감사했다. 나는 이곳에서 "아픔이 사명이다" 라는 말을 들었다. 나에게도 사명이 생겼다. 나를 위해 살아가는 것 말고 더 큰 책임이 생겼다.

나는 어릴 때 가졌던 꿈이 있었다. 제과제빵사가 되는 것이었다. 그 꿈을 가지고 살아가던 중에 하나님을 만났다. 하나님을 만나니 나의 꿈은 더 이상 꿈이 아니었다. 내가 가치를 두었던 것들은 하나님 앞에서 보잘 것 없어보였다. 나의 꿈 말고 하나님의 꿈을 꾸고 싶었다. 하나님은 나와 같은 아픔이 있는 영혼들에게 시선을 두게 하셨다. 외로운 이들에게 하나님을 전하는 삶을 살고 싶었다.

치열하게 살아냈고 버텨왔던 지난 날들은 하나님을 만나기 위한 길이 되어주었다. 기억하고 싶지 않았던 아팠던 날들은 하나님이 함께하신 소중한 날들이었다. 그 기억을 가지고 살아가는 지금은 누구보다도 행복하다. 그 어떤 것도 부럽지 않다고 고백할 수 있다.

하나님은 내가 행복하기를 바라셨다. 하나님을 만나 나는 행복하다. 내가 돌아오기까지 기다려 주셨으니, 예수님 오실 그 길을 준비하는 평생의 날들이 되기를 소망한다.

선물

나는 지금의 삶을 상상하지 못했다. 하나님을 만나기 전에 나는 하루하루를 살아내기 바빴다. 무엇인가를 소망한다는 것은 사치였고 바랄 수도 없었다. 그런데 하나님은 나의 삶은 완전히 바꾸셨다. 하나님의 꿈을 꾸게 하시고 그 길을 걷게 하셨다.

나 또한 변화시키셨다. 사랑받게 하시고 사랑하게 하셨다. 하나님의 사랑은 이유가 없었다. "왜?"라는 질문엔 늘 십자가로 대답하셨다. 그의 용서하심이 나를 용서하게 했다. 나의 용서는 힘겹지 않았다. 자연스러울 만큼 당연했고, 그게 됐다.

나는 엄마라는 말을 입에 담기가 참 쉽지 않았다. 오랜 상처와 아픔이 쌓인 단어였기에 엄마 이야기를 해야 할 때면 늘 눈물이 차올랐다. 그런데 그런 엄마를 이해하게 하셨다. 사랑하게 하셨다. 하나님이 하셨다.

어느 날엔 엄마가 보고 싶더라. 평생을 외면하다시피 하며 살았는데, 가족이라는 누군가가 보고 싶은 적이 없었는데 보고 싶은 마음이 들었다. 어색하고 낯설었다. 하나님을 만나고 나의 다른 모습들을 마주하는 듯했다. 하나님이 하게 하신 사랑과 용서는 참 신비하고 놀랍다. 이제는 복음을 전할 수 있을 것 같았다. 하나님의 위로가 필요한 영혼으로 보였다. 내가 만난 하나님이라면 그들의 눈물을 닦아주실 수 있을 것 같았다.

하나님은 언제나 나보다 한 걸음 더 먼저 가셔서 기다리셨다. 포기할만할 때 먼저 가신 그곳에서 회복을 예비하셨다. 이제는 안 되겠다 싶을 때 한 걸음 더 걸을 수 있는 은혜를 주심은 나에게 내일을 꿈꾸게 했다.

되돌아보니, 나는 무엇인가 기대해본 적이 없었다. 기대하기보다 닥친 상황을 어떻게든 살아내야 했다. 기대가 아닌 두려움이 앞선 날들이 많았다. 그런 나에게 '기대'라는 소망을 허락하셨다. 그것이 하나님 안에 있다는 것이 나를 안심하게 했고, 세상의 그 무엇보다 완전한 것을 바란다는 것은 생각보다 나를 안정되게 했다.

나는 나의 상처와 아픔을 무엇과도 바꿀 수 없는 값진 선물이라고 고백한다. 요셉이 애굽의 총리가 되어 형들을 만났을 때에 고백한 것처럼 나도 그렇게 말하고 싶다. “하나님이 큰 구원으로 당신들의 생명을 보존하고 당신들의 후손을 세상에 두시려고 나를 당신들보다 먼저 보내셨나니” (창 45:7)

우리 부모님은 나에게 늘 미안해한다. 모든 것을 혼자 감당하게 한 것과 더 사랑해주지 못한 것이 항상 미안하다고, 헤어질 땐 반가웠다는 말보다 미안하다는 말을 더 많이 하는 부모님이다. 그런 부모님에게 나도 요셉처럼 이야기하고 싶다. 하나님을 만나 누구보다 행복한 삶을 살고 있다고, 오히려 감사한 삶이었다고 말하고 싶다.

하나님은 선물을 참 많이 주셨다. 예배라는 선물, 공동체라는 선물, 꿈이라는 선물을 주셨다. 비어있던 삶을 채운 그 선물들을 하나님은 은혜라고 하신다. 모든 것이 은혜였다. 내가 받은 그 선물, 은혜를 전하는 삶이 되어 눈물로 밤을 지새우는 누군가가 눈물을 닦아주시는 하나님을 만나게 되었으면 좋겠다.